JANET EVANOVICH
& LEANNE BANKS

Cheers, Baby!

Buch

Cate Madigan ist schon lange auf der Suche nach Mr. Right, doch die Männer, die ihr von ihrer etwas verrückten irischen Familie präsentiert werden, sind so gar nicht ihr Geschmack. Da bleibt sie lieber Single, hat ihre Ruhe und jobbt nebenher in einer kleinen Bar in Boston. Doch über Nacht verwandelt sich ihr Leben in das reinste Chaos. Alles beginnt mit dem plötzlichen Verschwinden ihres Mitbewohners Marty Longfellow, der als Dragqueen in Nachtclubs arbeitet. Und dann steht auch noch eine riesige, sabbernde Bulldogge vor Cates Tür. Marty hat sie anscheinend geschickt, damit Cate auf sie aufpasst. Leider betrachtet »Biest« alles, was nicht niet- und nagelfest ist, als potenzielles Hundefutter, was Cate vor erhebliche Probleme stellt. Aber es gibt auch noch Lichtblicke – einen sexy Ex-Cop namens Kellen McBride zum Beispiel. Der kommt nämlich seit Neuestem regelmäßig in ihre Bar, aber ob das wirklich nur ein Zufall ist?

Autorinnen

Janet Evanovich stammt aus South River, New Jersey, und lebt heute in New Hampshire. Mit ihren Romanen um die chaotische Stephanie Plum hat sie sich ein Millionenpublikum erobert. Daneben machte sie sich auch als Autorin romantischer Komödien einen Ruf, von denen mit »Cheers, Baby!« nun die achte auf Deutsch vorliegt. Weitere Informationen unter: www.evanovich.com und www.janetevanovich.de

Leanne Banks ist in den USA ebenfalls eine Nummer-1-Bestsellerautorin für romantische Komödien. Sie wurde bereits mit zahlreichen Preisen ausgezeichnet, unter anderem mit dem renommierten »Golden Quill Award«. Leanne Banks lebt mit ihrem Mann und zwei Kindern in Virginia. Weitere Informationen unter: www.leannebanks.com.

Von Janet Evanovich außerdem bei Goldmann lieferbar:

Die Stephanie-Plum-Romane:
Einmal ist keinmal (42877) · Zweimal ist einmal zuviel (42878) · Eins, zwei, drei und du bist frei (44581) · Aller guten Dinge sind vier (44679) · Vier Morde und ein Hochzeitsfest (54135) · Tödliche Versuchung (54154) · Mitten ins Herz (45628) · Heiße Beute (45831) · Reine Glückssache (46327) · Kusswechsel (46433) · Die Chaos Queen (Manhattan HC 54626) · Kalt erwischt (Manhattan HC 54637)

Außerdem lieferbar:
Liebe für Anfänger. Roman (45731) · Kussfest. Roman (45905) · Liebe mit Schuss. Roman (46094) · Total verschossen. Roman (46166) · Gib Gummi, Baby. Roman (46167) · Jeder Kuss ein Treffer. Roman (46565) · Liebe über Bord. Roman (46168)

Janet Evanovich
& Leanne Banks

Cheers, Baby!

Roman

Aus dem Amerikanischen
von Ulrike Laszlo

GOLDMANN

Die Originalausgabe erschien 2007
unter dem Titel »Hot Stuff«
bei St. Martin's Press, New York.

FSC
Mix
Produktgruppe aus vorbildlich
bewirtschafteten Wäldern und
anderen kontrollierten Herkünften

Zert.-Nr. SGS-COC-1940
www.fsc.org
© 1996 Forest Stewardship Council

Verlagsgruppe Random House FSC-DEU-0100
Das für dieses Buch verwendete FSC-zertifizierte Papier
Holmen Book Cream liefert Holmen Paper, Hallstavik, Schweden.

1. Auflage
Deutsche Erstveröffentlichung Oktober 2008
Copyright © der Originalausgabe 2007 by Evanovich, Inc.
Copyright © der deutschsprachigen Ausgabe 2008
by Wilhelm Goldmann Verlag, München,
in der Verlagsgruppe Random House GmbH
Umschlaggestaltung: Design Team München
Umschlagfoto: Corbis/David Langley
Redaktion: Viola Eigenberz
NG · Herstellung: Str.
Satz: Uhl + Massopust, Aalen
Druck und Bindung: GGP Media GmbH, Pößneck
Printed in Germany
ISBN: 978-3-442-46831-7

www.goldmann-verlag.de

Kapitel 1

Cate Madigan zog den jungen Mann, der ihr am Tisch gegenübersaß, in Gedanken aus, und er schnitt in jeglicher Hinsicht schlecht ab. Eigentlich hatte Cate ihn gar nicht nackt sehen wollen – das Bild war einfach vor ihren Augen aufgetaucht. Das war einer dieser schrecklichen Momente, in denen man zu viele Informationen bekam! Der Junge hieß Patrick Pugg, und die Familie Madigan hatte ihn diese Woche als zukünftigen Freund für Cate auserkoren.

Cate und Pugg saßen bei einem der chaotischen Abendessen bei den Madigans, wo bei Tisch schon seit jeher die Regel galt, dass jeder selbst schauen musste, wo er blieb. Seit Cates Brüder Matt und Tom ausgezogen waren, ging es etwas ruhiger zu, aber das Abendessen war immer noch eine Herausforderung – auf die gute Art einer Bostoner Familie irischer Abstammung.

Heute Abend saßen acht Leute am Tisch. Cate, Patrick Pugg, Cates Eltern Margaret und Jim Madigan, Cates älterer Bruder Danny, Dannys Frau Amy und ihre sechsjährigen Zwillingsmädchen Zoe und Zelda.

Die Madigans waren alle typische Iren. Die Haut weiß wie Milch, überzogen von Sommersprossen, rotes, locki-

ges Haar und braune Augen. Sie neigten alle zur Dick-
köpfigkeit und hatten einen natürlichen Hang zu Scha-
bernack. Die Männer waren stämmig gebaut und nahmen
kein Blatt vor den Mund. Die Frauen waren schlank und
zogen es vor, sich zu rächen, bevor sie aufkommenden
Zorn hinunterschluckten.

Amy war der einzige kleine Kuchen mit Zuckerguss in
einer Schachtel voll mit Marmelade gefüllter Donuts. Sie
sah ganz und gar nicht aus wie eine Madigan. Amy war
eine typische amerikanische Cheerleaderin mit blondem
Haar, blauen Augen und einem immer freundlichen Wesen. Sie war nur einen halben Block entfernt aufgewachsen, und sie und Danny waren schon seit ihrem zweiten
Lebensjahr zusammen.

»Du runzelst die Stirn«, stellte Zoe fest und sah Cate
an. »An was denkst du?«

»Ich habe an meine Arbeit gedacht«, sagte Cate. »Ich
muss heute Abend schon früh dort sein.«

Das war natürlich eine dicke Lüge. Cate hatte bei dem
Gedanken an den nackten Pugg unwillkürlich das Gesicht
verzogen. Mit seiner Größe von 1,65 Meter befand er sich
auf Augenhöhe mit Cate. Er sah nicht schlecht aus, aber
als attraktiv konnte man ihn auch nicht bezeichnen. In
erster Linie war er … behaart. Aus den Manschetten seines
Hemds quollen Haare, und auch der Kragen verschwand
unter einem Haarbüschel. Er trug lange Koteletten, hatte
sein Haupthaar auf dem Kopf hochgetürmt und eine einzige Locke auf seine Stirn geklebt. Irgendwie sah er aus wie

eine Kreuzung aus Elvis Presley und Squiggy nach einem Autounfall. Und er hatte die schreckliche Angewohnheit, sich selbst Pugg zu nennen.

»Dieser Schmorbraten schmeckt Pugg sehr gut«, erklärte er Cates Mutter. »Pugg würde gern eine Frau heiraten, die einen Schmorbraten wie diesen zubereiten kann.«

Cates Mutter strahlte Cate an. »Cate macht einen wundervollen Schmorbraten«, sagte sie. »Nicht wahr, Cate?«

Cate seufzte tief und stocherte mit ihrer Gabel in dem Kartoffelbrei auf ihrem Teller. Sie würde sich lieber mit einem rostigen Löffel ein Auge ausstechen, als Pugg einen Schmorbraten zu servieren.

»Grüne Bohnen!«, rief Cates Vater vom oberen Ende des Tischs, und eine Hand schob sich an Cate vorbei und ergriff die Schüssel mit den Bohnen.

Das Essen zirkulierte mit Warp-Geschwindigkeit am Tisch: die Sauciere, der Korb mit den Brötchen, die Butterschale, die grünen Bohnen, der Teller mit dem Fleisch und die riesige Schüssel mit dem Kartoffelbrei. Das war bei einem Abendessen der Madigans so üblich, und im Laufe der Jahre hatte Cate die Technik perfektioniert, mit der linken Hand alles weiterzureichen, während sie gleichzeitig mit der rechten Hand aß.

»Ich habe gehört, die Sox tauschen fünf Spieler aus«, meinte Danny.

Cates Dad schaufelte einige Fleischscheiben auf seinen Teller. »Unsinn.«

»Ich habe etwas Braunes auf meinem Kleid«, beschwerte sich Zelda. »Es riecht wie Kacka.«

»Das ist Soße«, beruhigte Amy sie. »Mach dir deswegen keine Sorgen.«

»Das mag ich nicht. Mach es weg.«

»Kackakleid, Kackakleid, Kackakleid«, krakeelte Zoe.

»Patrick verkauft Reifen«, erklärte Margaret Madigan ihrer Tochter. »Er ist der Topverkäufer in seinem Autohaus.«

Patrick Pugg zwinkerte Cate zu. »Pugg ist ein guter Verkäufer. Und er kann auch noch viele andere Dinge, wenn du verstehst, was Pugg meint.«

»Nein«, erwiderte Cate. »Was meinst du damit?«

Danny saß direkt neben Cate. »Jetzt hast du ihm einen Köder hingeworfen«, meinte er. »Das wird kein gutes Ende nehmen.«

»Pugg ist verletzt«, erklärte Pugg. »Cate zweifelt an Puggs romantischer Kunstfertigkeit.«

Danny starrte Pugg eine Weile mit offenem Mund an. »Verletzt? Romantische Kunstfertigkeit? Wer zum Teufel bist du? Was bist du?«

»Ich bin Pugg.«

»Meine Güte.« Danny legte seinen Arm um die Rückenlehne von Cates Stuhl und beugte sich zu ihr hinüber. »Mach dir keine Sorgen. Ich weiß da einen Banker, den du kennenlernen solltest. Es ist alles schon arrangiert.«

Patrick Pugg drohte Danny scherzhaft mit einem Wackeln seines kleinen Fingers. »Das würde Pugg nicht gefallen. Pugg fühlt sich verpflichtet, dafür zu sorgen, dass aus dieser Beziehung etwas wird.«

Danny kniff die Augen zusammen. »Habe ich etwas verpasst? Ich dachte, du hättest Cate erst heute Abend kennengelernt.«

»Ja, aber Cate mag Pugg, nicht wahr? Und Cate will Pugg wiedersehen.«

Alle unterbrachen ihre Mahlzeit und starrten Cate an.

Seit sechs Jahren jobbte Cate in einer Kneipe, um sich ihr Studium am College zu verdienen und Stück für Stück näher an ihr Ziel zu kommen, als Grundschullehrerin zu arbeiten. Sie war davon überzeugt, Zweitklässler zu unterrichten sei für sie eine leichte Übung, nachdem sie mit drei schnell aufbrausenden Brüdern aufgewachsen war und seit so langer Zeit hinter dem Tresen arbeitete. Cate hatte festgestellt, dass ihre älteren Brüder, die Männer in Kneipen und kleine Kinder vieles gemeinsam hatten – zum Beispiel verhielten sie sich hin und wieder unangemessen und ließen sich leicht ablenken.

Wenn Cate Pugg jetzt erklärte, dass sie nichts mit ihm zu tun haben wollte, würde er den Rest des Abends schmollen. Und wenn sie Pugg sagte, dass er ihr sympathisch sei, würde Danny während des gesamten Abendessens beleidigt sein. Also tat Cate das einzig Vernünftige: Sie stieß absichtlich, aber scheinbar versehentlich ihr Wasserglas um und sprang auf, als das Wasser in alle Richtungen spritzte.

»Mist!«, stieß Cate hervor. »Seht euch diese Schweinerei an. Es tut mir so leid.«

Rasch lief sie in die Küche, um ein Geschirrtuch zu holen.

»Das war ein raffinierter Schachzug«, flüsterte Danny ihr ins Ohr, als sie zurückkam. »Ein Klassiker.«

»Das ist deine Schuld. Du hast diese Konfrontation herbeigeführt.«

»Habe ich nicht.«

»Hast du schon.«

»Habe ich nicht. Warte nur, bis du den Banker siehst. Er ist Lichtjahre von diesem Idioten entfernt. Du wirst ihn mögen.«

»Nein. Keine weiteren Verkupplungsversuche. Ich hasse das.«

»Ich müsste mich nicht darum bemühen, wenn du selbst Verabredungen treffen würdest.«

»Ich habe im Moment keine Zeit für Verabredungen.«

»Du wirst nicht jünger«, mahnte Danny.

»Ich bin sechsundzwanzig!«

»Ich mache mir Sorgen um dich«, erklärte Danny. »Wir alle machen uns Sorgen um dich. Es gefällt uns nicht, dass du in dieser Kneipe arbeitest, zu unmöglichen Zeiten nach Hause kommst und dich die ganze Nacht mit Betrunkenen herumplagen musst. Du solltest einen netten, langweiligen Mann heiraten, der sich um dich kümmert und dir Sicherheit bietet.«

»Ich will nicht mit einem netten, langweiligen Typen

verheiratet sein. Ich will unterrichten und einen aufregenden Mann heiraten, der auf einem schwarzen Pferd angaloppiert und mein Herz im Sturm erobert.«

»Mir wäre es lieber, er käme auf einem weißen Pferd«, meinte Danny. »Warum suchst du dir nicht wenigstens einen besseren Job? Irgendetwas, wo du nicht bis Mitternacht schuften musst?«

»Der Job in der Bar ist perfekt. Er ist gut bezahlt und erlaubt es mir, tagsüber zu studieren. Und ich kenne mich gut mit den Drinks und den Gästen aus. Die vielen Jahre, in denen ich den Leuten an der Theke zugehört habe, machen sich mittlerweile bezahlt.«

Und außerdem zahlte Cate als Untermieterin bei Marty Longfellow nur wenig Miete. Marty war eine Dragqueen im South End, der in der Bar sang und diese mit seinen Auftritten im Handumdrehen aus einer wirtschaftlichen Misere gezogen hatte. Marty war nicht nur ein faszinierender Paradiesvogel, sondern auch sehr gut. Sie hatte eine Stimme wie Samt, und nachdem sie sich eineinhalb Stunden lang rasiert hatte, zwei Stunden lang Make-up aufgetragen und sich eine halbe Stunde lang in ihr Kostüm gezwängt hatte, erregte sie den Neid jeder Frau und die Sehnsüchte jedes Mannes (zumindest oberflächlich betrachtet). Marty sang an zwei Abenden in der Woche in der Bar. An den restlichen fünf Tagen reiste sie durch die Gegend und trat meistens auf Privatpartys auf. Manchmal war sie auch ein oder zwei Wochen am Stück unterwegs, und das war der Grund, warum Cate ihr Zimmer sehr günstig mieten konnte – sie bewachte die Burg. Cate goss Martys Pflanzen, holte die Post herein, ging ans Telefon und sorgte dafür, dass Marty bei ihrer Rückkehr alles zur Zufriedenheit vorfand.

In Cates Augen war es das perfekte Arrangement für eine Wohngemeinschaft. Es erlaubte ihr, zu studieren, ohne dafür einen Kredit aufnehmen zu müssen. Außerdem war sie so den Fängen ihrer überbehütenden Eltern entkommen. Und sie hatte einen großen, starken Mitbewohner, der nicht an Frauen interessiert war.

Cate mixte zwei Mojitos. Jetzt im Spätsommer waren exotische Drinks angesagt. Viele Margaritas, Piña Coladas und Mojitos. Ein Mann am Ende der Theke hob sein leeres Glas, um ihre Aufmerksamkeit auf sich zu ziehen. Cate reichte die Mojitos einem der Kellner und schob ein Glas Lagerbier über den polierten Tresen aus Mahagoni. Der Fernseher über Cates Kopf war auf den Sportsender ESPN eingestellt. In dem dunklen Raum schwoll der Geräuschpegel an und ab. Hin und wieder richteten sich die Blicke der Gäste auf die kleine, leere Bühne. Marty sollte in wenigen Minuten wieder auftreten. Am Sonntagabend war Evian's Bar and Grill überfüllt mit Stammgästen, doch am Ende der Theke saß ein Neuer, der Cate anstarrte.

»Alles in Ordnung?«, formte Cate mit den Lippen.

Er nickte und legte seine Hand auf sein Bierglas, um ihr zu bedeuten, dass er noch genug zu trinken hatte.

Als Marty die Bühne betrat, johlte und klatschte das Publikum.

»Seid ihr nicht alle großartig?«, rief Marty und löste damit weiteres Gejohle und Anfeuerungsrufe aus.

Auf ihren hohen Absätzen maß Marty über eins achtzig. Zu einem roten paillettenbesetzten Kleid trug sie eine dazu passende Federboa. Sie besaß eine Sammlung Perücken, und heute Abend hatte sie sich für kurzes, schwarzes Haar entschieden. Ihr roter, schimmernder Lippenstift passte genau zu ihren glänzenden rot lackierten Fingernägeln. Ihre flatternden Wimpern waren verlängert, um den bestmöglichen Effekt zu erzielen.

Gina Makin kam zu Cate herüber. Sie arbeitete an den Abenden, an denen Marty auftrat und deshalb eine Zusatzkraft benötigt wurde. Sie war verheiratet, hatte ein einjähriges Kind und war eine ausgezeichnete Barkeeperin.

»Sie trägt die Judy-Garland-Perücke«, sagte Gina. »Ich wette fünf Dollar mit dir, dass sie mit ›Over the Rainbow‹ beginnt.«

Martys Keyboarder Slow Joe Flagler schlug die Tasten zu »The Wicked Witch is Dead« an, und Marty zeigte ihm den Stinkefinger. Slow Joe grinste und wechselte zu »Over the Rainbow« über.

»Der heiße Typ, der am Ende der Theke sein Bier trinkt, starrt dich an«, sagte Gina zu Cate. »Kennst du ihn?«

»Nein. Er ist neu hier.«

»Du solltest mit ihm flirten. Er sieht so aus, als könne man Spaß mit ihm haben.«

»Danke, aber das lass ich lieber. Ich hatte schon mehr Spaß, als ich an einem Abend vertragen kann«, erwiderte Cate. »Meine Mutter hat wieder einmal den perfekten Partner für mich zum Abendessen eingeladen. Er hat versucht, mich zu küssen, als ich zur Arbeit ging. Als ich ihm mein Knie in den Schritt gestoßen habe, meinte er, er liebe temperamentvolle Frauen.«

»Anscheinend hast du ihn nicht richtig getroffen.«

»Doch, ich glaube schon. Er ging zu Boden und wälzte sich hin und her, bevor er mich als temperamentvoll bezeichnete.«

Gina richtete ihre Aufmerksamkeit wieder auf den heißen Typen an der Theke. »Sieht er so aus wie der dort drüben?«

»In keiner Weise«, stellte Cate fest.

Der Mann am Ende der Theke war attraktiv. Schwarzes Haar, kurz geschnitten, aber lang genug, um sich leicht über seinen Ohren zu wellen und in seine Stirn zu fallen. Ein wohlgeformter Mund, dunkle Augen, breite Schultern. Er hatte die Ärmel seines Hemds bis zu den Oberarmen hochgekrempelt. Ganz offensichtlich war er muskulös. Als er ihren Blick bemerkte, schenkte er ihr ein strahlendes Lächeln, bei dem er wie der große, böse Wolf seine perfekten weißen Zähne zeigte.

Süß, dachte Kellen McBride und änderte seine bisherige Meinung über Cate Madigan. Sie sah aus, als würde sie in einem alten keltischen Schloss leben, ein wallendes smaragdgrünes Gewand tragen und auf einen Ritter in schimmernder Rüstung warten. Dann hatte er beobachtet, wie sie Gläser nachgefüllt hatte und sich mit den Stammgästen unterhielt, und war zu dem Schluss gekommen, dass sie selbstbewusst und geistreich war und das Heft in der Hand hatte. Kellen seufzte unwillkürlich. Cate Madigan war offensichtlich keine Frau, die jemals gerettet werden musste. Sie würde den Drachen in ein Haustier verwandeln, den Schurken besiegen und eine Feuersbrunst dazu benutzen, um Kekse zu backen. Mit einem Wort – Cate war zauberhaft. Und das zweite Wort, das ihm zu ihr einfiel, konnte ein wenig bedrohlich wirken. Aber das zählte jetzt nicht. Kellen hatte einen Plan, und an diesen würde er sich halten, bis sich etwas Besseres ergab. Er würde sie überlisten müssen, um sich in ihr Leben einzuschleichen.

Kellen bedeutete Cate mit einer Handbewegung, zu ihm zu kommen.

»Meinst du mich?«, fragte Cate lautlos.

»Hast du ein Glück«, bemerkte Gina. »Er ist wirklich ein Leckerbissen.«

Cate reichte einem ihrer Stammgäste die Rechnung und schlenderte dann zu dem heißen Typen hinüber.

»Was kann ich für dich tun?«, fragte sie. »Noch ein Bier vom Fass? Oder die Speisekarte?«

»Es geht eher darum, was ich für dich tun kann«, erwiderte er. »*Táim ina fhear chun tusa a thogáil ón gnáthsaol.*«

Cate lachte laut auf. »Okay, ich bin beeindruckt. Das ist das erste Mal, dass jemand versucht, mich auf Gälisch aufzureißen.«

15

»Es schien zu passen. Versuchen viele Männer, dich abzuschleppen?«

»Nein. Ich sehe aus wie jedermanns kleine Schwester. Die meisten Gäste hier versuchen, Martys Aufmerksamkeit auf sich zu ziehen. Und ich kenne die Übersetzung zu deiner gälischen Anmache. Du hast gesagt, du seist der Mann, der mich aus meinem Alltagsleben herausholen würde. Ich weiß diesen Gedanken zu schätzen, aber ich mag mein Alltagsleben... und ich verabrede mich nicht mit Gästen. Tut mir leid.«

Außerdem klangen ihr die Worte ihrer Mutter in den Ohren. *Wenn ein Mann zu gut aussieht, hat er meist kein gutes Herz.* Cate hatte das immer als Dilemma empfunden. Hieß das, dass sie sich nach einem hässlichen Mann umschauen sollte?

»Ich habe sehr gute Referenzen«, erklärte »Mr. Heißer Typ«. »Und mein Name ist Kellen McBride. Dein irischer Vater wäre begeistert von mir.«

»Du bist nicht der Banker, oder?«

»Wenn ich jetzt ja sage, was hätte ich dann davon?«

Cate verdrehte die Augen und ging zum anderen Ende der Theke, um ein Weinglas nachzufüllen.

Kapitel 2

Cate stand in der Küche und dachte darüber nach, was sie sich zum Frühstück machen sollte, als Marty hereingerauscht kam. Er trug eine schwarze Hose von Armani, Schuhe von Gucci und ein weißes Hemd, das so weit aufgeknöpft war, dass man eine aufwändig gearbeitete Goldkette sehen konnte. Anscheinend war Marty heute Morgen in der Stimmung, sein männliches Ich zu zeigen.

»Oh, mein Gott«, rief Marty mit einem Blick auf die Schachtel Frühstücksflocken in Cates Hand. »Isst du immer noch dieses grässliche Zeug? Es ist voll von Chemikalien und hat keinen Nährwert. Und es setzt sich an deinem Po fest und bleibt für immer dort.«

»Ich liebe dieses Zeug«, gab Cate zu, schüttete sich etwas davon in eine Schüssel und sah bewundernd auf die hübschen Farben der nährwertlosen, mit Zuckerglasur überzogenen, aufgeblasenen Getreidehülsen. »Warum bist du um diese Zeit schon auf? Es ist erst neun Uhr. Normalerweise schläfst du bis elf.«

»Ich habe einen langen Tag vor mir. Zuerst treffe ich mich mit meinem Agenten. Anschließend bin ich zum Lunch mit Kitty Bergman verabredet.« Marty verzog das

Gesicht. »Igitt, diese Kitty Bergman! Und heute Abend trete ich auf einer Privatparty auf.«

Das Telefon klingelte, und Marty presste die Lippen aufeinander. »Mist. Ich bin sicher, dass das jemand ist, mit dem ich nicht sprechen möchte.« Er wandte sich an Cate. »Würdest du rangehen, Süße?«

Cate klemmte die Schachtel mit den Frühstücksflocken unter den Arm und nahm den Hörer auf. »Hallo?«

»Ist Marty da?«

Die Männerstimme klang tief und heiser. Entweder war der Anrufer starker Raucher, oder er war schon sehr alt.

Cate zog die Augenbrauen hoch und sah Marty fragend an.

Marty schüttelte den Kopf.

»Marty ist im Augenblick verhindert«, erklärte Cate. »Möchten Sie eine Nachricht hinterlassen?«

»Sagen Sie Marty, ich werde nicht ewig warten.«

»Gut. Möchten Sie Ihren Namen oder Ihre Telefonnummer hinterlassen?«

»Marty weiß, wer ich bin.« Der Mann legte auf.

»Irgendein Mann möchte nicht ewig warten«, richtete Cate Marty aus. »Du bist wirklich ein Herzensbrecher.«

Marty Longfellow wohnte in einem Gebäude, in dem sich früher einmal eine Kleiderfabrik befunden hatte. Das massive Haus aus roten Ziegeln war umgebaut worden und beherbergte nun auf vier Stockwerken mittelgroße

Eigentumswohnungen mit jeweils zwei Schlaf- und zwei Badezimmern. Die Bewohner spiegelten die vielschichtige Bevölkerung wider, die für das Stadtviertel South End typisch war – junge Karrieretypen, Schwule und ein paar vereinzelte Senioren.

Martys Wohnung lag auf der vierten Etage und wäre einen Artikel im *Architektur und Design* wert gewesen. Der Teppich war aus weißem Plüsch, die Möbel aus schwarzem Leder und Chrom. An den Wänden hingen Originalkunstwerke. Der Kronleuchter war ein Prachtstück aus Muranoglas. Sehr schön. Und sehr teuer.

Cates kleines Zimmer im hinteren Teil der Wohnung war eher für einen Beitrag im *Architektur und Trödel* geeignet. Nach der Zahlung ihrer Studiengebühren, dem Kauf der nötigen Bücher und der symbolischen Begleichung ihrer Miete war nicht mehr viel Geld für die Inneneinrichtung übrig geblieben. Als Cate aus dem Haus ihrer Eltern ausgezogen war, hatte sie ihre gelb-weiß geblümte Steppdecke mitgenommen und sich dazu passende Bettlaken, Kissen, Handtücher und eine Badematte besorgt.

Cates Zimmer wirkte freundlich, war aber, gemessen an Martys Standard, nichts Großartiges. Auf Martys Bett lag ein Überwurf aus Nerzfell, und seine Bettwäsche war aus fein gewirktem Stoff. Cate war der Ansicht, dass er diesen Luxus verdiente. Immerhin musste sich der Mann jeden Tag von oben bis unten enthaaren. Außerdem trug er Feuchtigkeitscreme und Haarspülungen auf, hielt sich mit Training fit, zupfte sich die Augenbrauen, behandelte seine Haut mit Laserstrahlen und Peelings und spritzte Botox.

Es war später Vormittag, und Cate war allein in der Küche und glasierte einen Kuchen. Als wieder das Telefon klingelte, warf Cate einen misstrauischen Blick hinüber. Das Telefon klingelte jede Stunde – bisher schon dreimal. Und jedes Mal, wenn Cate sich gemeldet hatte, hatte der Anrufer aufgelegt. Sie nahm an, es war der Mann, der nicht mehr warten wollte.

Cate hob ab und meldete sich mit einem knappen »Hallo«.

»Meine Güte«, sagte Sharon Vizzalini. »Du klingst, als hättest du schlechte Laune.«

Cate hatte zwei gute Freundinnen im Haus. Sharon Vizzalini war eine davon. Sie war Immobilienmaklerin und wohnte im Stockwerk darunter in einer Wohnung, die mit Gegenständen aus ihrem früheren Leben vollgestopft war. Vor vier Jahren hatte Sharon ihren Mann mit heruntergelassener Hose in ihrem Minivan erwischt – mit dem Babysitter. Am nächsten Tag mietete Sharon einen Umzugswagen und parkte ihn vor ihrem Kolonialhaus mit den vier Schlafzimmern und vier Badezimmern in Newton. Als der Möbelwagen von oben bis unten vollgepackt war, fuhr Sharon damit ins South End von Boston, stellte ihn auf einem Parkplatz ab, ging ihre Immobilienliste durch und machte sich auf Wohnungssuche. Drei Wochen später zog sie in das Gebäude ein, in dem Marty wohnte.

Sharon war älter als Cate und acht Zentimeter kleiner. Sie trug ihr schwarzes, lockiges Haar zu einem Bob geschnitten, war immer braun gebrannt, trainierte ihren Körper im örtlichen Pilates-Studio und besaß genug Energie, um starken Kaffee nervös zu machen. Bei Möbelbezügen und Kleidung bevorzugte sie Tierdrucke. Als Accessoires trug sie riesige Klunker, und Turnschuhe hatten in ihrem Schrank nichts zu suchen. Sharon schwor auf Dolce & Gabbana und hochhackige Riemchensandalen. Selbst auf dem Weg zum Pilates-Studio trug sie Stöckelabsätze.

»Ich bin nicht schlecht gelaunt, ich war nur gerade in Gedanken«, erwiderte Cate. »Was gibt's?«

»Ich habe gehofft, du würdest mir ein Sandwich bringen, da ich damit beschäftigt bin, 2B zu observieren. Irgendwie habe ich das Gefühl, dass der Tag gekommen ist. Heute wird er endlich seine Wohnung verlassen und sich zeigen.«

Cate unterdrückte einen Seufzer. Sharon war von der fixen Idee besessen, sie müsse den mysteriösen Bewohner von 2B kennenlernen. Die Wohnung war vor drei Monaten von einer Holdinggesellschaft gekauft worden, und obwohl man hin und wieder Geräusche hörte und Essensgerüche durch die Türritzen drangen, hatte noch niemand den Mieter gesehen.

»Ich habe dich wirklich sehr gern, aber manchmal hörst du dich an, als hättest du einen Dachschaden«, erklärte Cate.

21

»Die Wohnung wurde von einer Holdinggesellschaft gekauft«, stellte Sharon fest. »Nur berühmte Persönlichkeiten und Gangster tun so etwas. Bist du denn nicht neugierig?«

»Neugierig schon, aber nicht besessen davon.«

»Du hast eben nicht das Wesen einer Immobilienmaklerin. Wir müssen solche Dinge in Erfahrung bringen, weil wir uns Gedanken über den Immobilienwert eines Objekts machen.«

»Ich glasiere gerade einen Kuchen. Wenn ich damit fertig bin, kann ich dir ein Sandwich bringen.«

»Einen Kuchen?«

»Interessiert dich das?«

»Kann ich ein Stück davon haben?«

»Nur wenn du mit mir für Mrs. Ramirez in 3C ein Geburtstagsständchen singst.«

»Zum Teufel mit 2B. Ich bin sofort da.«

Wenige Minuten später klopfte Sharon an Cates Tür.

»Wow, ich habe den Kuchen bereits im Flur gerochen«, sagte Sharon, als Cate ihr öffnete. »Frisch gebacken. Selbst gemacht. Und mit Glasur.«

»Es war eine Backmischung«, erklärte Cate. Sie ging zurück in die Küche und steckte eine einzelne Kerze in die Mitte des Kuchens. »Aber alles andere stimmt.«

»Ich finde es großartig, dass du für alle Geburtstagskuchen backst.«

»Das liegt mir«, meinte Cate. »Ich backe gern Kuchen. Würde ich nicht Lehrerin werden, wäre Konditorin meine

Berufswahl. Und ich mag Mrs. Ramirez. Sie ist ein netter Mensch, und ich glaube, sie ist einsam. Seit ihre Kinder erwachsen sind und nicht mehr bei ihr wohnen, hat sie nur noch ihre Katze.«

Sharon schlenderte in das Wohnzimmer, während Cate eine Handvoll regenbogenfarbener Zuckerstreusel auf dem Kuchen verteilte.

»Hast du dich jemals gefragt, wie Marty sich diese Wohnung leisten kann?«, wollte Sharon wissen.

Cate steckte ihren Schlüssel ein und kam mit dem Kuchen aus der Küche. »Marty singt in der Bar und bei Privatpartys.«

»Ja schon, aber sieh dich doch hier einmal um. Die Möbel sind teuer, und die Kunstwerke sind signiert. In seinem Zimmer befinden zwei sehr seltene Drucke von Andy Warhol. Im Flur hängen mehrere Picassos, und ich erinnere mich, als du mir hier alles gezeigt hast, hing im großen Badezimmer ein Miró! In der Tiefgarage steht sein Porsche. Er trägt Designerklamotten und besitzt wunderschöne Schmuckstücke.«

»Vielleicht hat Martys Familie Geld«, meinte Cate und schob Sharon sanft zur Tür hinaus.

»Spricht Marty jemals von seiner Familie?«

»Nein. Wir wohnen zwar schon seit fast einem Jahr zusammen, aber wir reden nicht viel miteinander. Marty schläft normalerweise bis elf, und zu dieser Zeit bin ich entweder im Unterricht oder in der Bibliothek. Wenn ich zurückkomme, mache ich mir rasch ein Erdnussbuttersandwich und gehe dann zur Arbeit. Danach falle ich ins Bett. Und die Hälfte der Zeit ist Marty nicht in der Stadt.«

»Hat er Liebhaber?«

»Wahrscheinlich, aber er bringt sie nicht hierher.«

Sie fuhren mit dem Lift ein Stockwerk nach unten, stiegen aus und gingen zu Mrs. Ramirez' Tür. Nachdem sie Mrs. Ramirez ihr Ständchen gebracht hatten, aßen sie mit ihr ein Stück Kuchen und gingen dann getrennte Wege. Sharon kehrte auf ihren Beobachtungsposten vor 2B zurück, und Cate fuhr wieder zum vierten Stock hinauf.

Als Cate aus dem Aufzug stieg, sah sie Patrick Pugg vor ihrer Wohnungstür stehen.

»Pugg hatte schon Angst, er hätte dich verfehlt«, sagte er.

»Ich war nur kurz unten.« Cate schloss die Tür auf. »Was tust du hier?«

»Pugg möchte dich besuchen.«

»Ich bin im Augenblick sehr beschäftigt.«

»Pugg kann später wiederkommen.«

»Später muss ich zur Arbeit.«

»Pugg kann dich zur Arbeit begleiten.«

»Nein.«

»Pugg akzeptiert kein Nein.«

»Solltest du nicht Reifen verkaufen?«

»Pugg hat Mittagspause.«

»Du bist sicher ein netter Kerl«, sagte Cate. »Aber ich will ehrlich sein – ich bin einfach nicht interessiert.«

»Pugg ist geknickt.«

»Dass ich dir bei unserer letzten Begegnung das Knie zwischen die Beine gestoßen habe, hätte dir doch zu denken geben sollen.«

»Pugg dachte, du wolltest ihm zeigen, dass du nicht leicht zu haben bist.«

Cate betrat rasch ihre Wohnung, schlug die Tür hinter sich zu und schloss sie ab. Dann warf sie einen Blick durch den Türspion. Pugg stand immer noch da. Keine Panik, befahl sie sich. Er wird schon gehen.

Eine Stunde später kam Marty in die Wohnung gefegt. »Im Hausflur steht ein kleiner, haariger Mann. Er sagt, er gehöre zu dir.«

»Da irrt er sich.«

»Gott sei Dank. Mein bisheriger Tag war einfach grauenhaft. Mein Agent ist ein Schwein. Ich werde mir einen anderen suchen müssen. Und Kitty Bergman ist ein Miststück. Ich hasse und verabscheue Kitty Bergman.«

»Ich dachte, du liebst Kitty Bergman.«

»Das war gestern. Hat jemand für mich angerufen?«

»Jemand ruft zu jeder vollen Stunde an und legt auf, sobald ich mich melde.«

»Das ist nicht gut«, bemerkte Marty. »Das ist ganz und gar nicht gut.«

»Hast du irgendein Problem?«

»Himmel, nein. Ich habe einen leichten Rasurbrand auf meiner Brust, aber ansonsten ...«

Das Telefon klingelte, und Marty und Cate starrten den Apparat schweigend an.

»Du solltest abnehmen«, meinte Marty schließlich.

»Hallo?«, meldete Cate sich.

»Ich will mit Marty sprechen.« Es war wieder der Kerl mit der rauen Stimme.

Marty schüttelte heftig den Kopf… nein, nein, nein.

»Marty ist nicht zu sprechen.«

»Ich weiß, dass er da ist. Ich habe beobachtet, wie er das Haus betreten hat.«

»Es tut mir leid, ich habe ihn nicht gesehen.«

»Du lügst, du Schlampe. Sag Marty, dass ich draußen auf ihn warte.« Er legte auf.

»Er hat mich eine Schlampe genannt und gesagt, dass er draußen warten würde«, erzählte Cate Marty.

»Das ist schrecklich«, sagte Marty. »Offensichtlich ist das einer von diesen grauenhaften Tagen. Ich werde in mein Zimmer gehen, eine Tablette nehmen und packen.«

»Ich dachte, du wärst heute Abend für eine Party gebucht.«

»Das stimmt. Sie findet in Aruba statt.«

Kapitel 3

Um zehn Minuten vor fünf hastete Cate aus der Wohnung und rannte Pugg in die Arme, der immer noch im Gang wartete.

»Was zum Teufel tust du hier?«, fragte Cate.

»Pugg hat um vier Uhr aufgehört zu arbeiten und ist zurückgekommen.«

Marty hatte das Haus schon längst verlassen, aber vor einer Stunde hatte Cate noch einen dieser Anrufe erhalten, also war es vielleicht gar nicht so schlecht, dass Pugg hier war. Sie musste sich eingestehen, dass Martys Verhalten und die Telefonanrufe ihr ein wenig Angst einjagten. Daher hatte sie nichts dagegen, wenn sie jemand beim Verlassen des Gebäudes begleitete.

»Hier kommt mein Angebot«, erklärte Cate Pugg »Eine Liebesbeziehung zwischen uns beiden wird es nicht geben, aber wir könnten Freunde werden.«

»Pugg sucht aber eine feste Freundin.«

Cate warf einen Blick auf ihre Armbanduhr. Sie würde zu spät kommen. »Damit muss Pugg sich abfinden«, stellte Cate fest.

»Wenn wir nur Freunde sind, bekommt Pugg dann etwas davon?«

»Etwas wovon?«

»Du weißt schon … ein bisschen Spaß. Darf Pugg seine Salami verstecken? Pugg hat bestimmte Bedürfnisse.«

»Um seine Bedürfnisse wird Pugg sich selbst kümmern müssen«, erwiderte Cate und steuerte auf den Fahrstuhl zu.

»Wirst du dabei zusehen?«

»Nein!«

Wenige Sekunden später befand Cate sich auf der Straße und schlug auf dem Weg zu Evian's mit gesenktem Kopf ein flottes Tempo an.

»Cate hat lange Beine«, bemerkte Pugg neben ihr. Er schnaufte heftig bei dem Bemühen, mit ihr Schritt zu halten. »Pugg gefällt das bei einer Frau.«

Vor der Bar blieb Cate stehen und sah Pugg an. Er war ein unausstehlicher Flegel, aber seine Beharrlichkeit und seine unverdrossene Zuversicht waren bemerkenswert.

»Vielen Dank, dass du mich zur Bar begleitet hast«, sagte Cate.

»Pugg wird hierbleiben und dich nach Hause bringen.«

»Das wirst du nicht tun«, erklärte Cate bestimmt. »Niemals. Auf keinen Fall.«

»Pugg akzeptiert kein Nein.«

Cate stieß einen tiefen Seufzer aus und betrat das Gebäude.

Dreißig Minuten bevor die Bar geschlossen wurde, kam Kellen McBride hereinspaziert und setzte sich auf einen Barhocker. Cates Herzschlag setzte unwillkürlich kurz aus, und sie befahl sich in Gedanken, die Kontrolle nicht zu verlieren. Na gut, er sah fantastisch aus. Und er war charmant. Und einen Flirt wert. Das war ja alles recht nett, aber kein Grund, um aus dem Gleichgewicht zu geraten.

»Was willst du trinken?«, fragte Cate ihn.

»Ich lasse mich von dir überraschen.«

Cate zapfte ein Bier und bereitete die Rechnung vor.

»Nicht viel los heute«, bemerkte Kellen.

»Marty singt heute nicht. Viele Gäste bleiben nicht lange, wenn Marty nicht auftritt.«

»Bist du mit Marty befreundet?«

»Ein wenig. Warum, soll ich ihn dir vorstellen?«

Er schüttelte den Kopf. »Nein, ich mache nur Konversation. Ich wollte verhindern, dass du während deiner Schicht einschläfst.«

Cate ließ den Blick über die Theke wandern. Weniger als die Hälfte der Barhocker war besetzt. Und niemand versuchte, ihre Aufmerksamkeit zu erregen. Die Gäste saßen alle vor ihren Drinks und starrten auf den Fernseher, der über der Theke aufgestellt war.

»Was tut ein so nettes Mädchen wie du in einer Bar wie dieser?«, wollte Kellen wissen.

»Ich verdiene mir hier mein Studium«, erwiderte Cate. »Es ist ideal. Ich arbeite abends und studiere tagsüber.

Im Augenblick habe ich Semesterferien, also werden mir die Tage lang. Ich bin es nicht gewöhnt, Zeit zu meiner freien Verfügung zu haben.«

»Bei deiner Freizeitgestaltung könnte ich dir helfen«, bot Kellen an.

»Das klingt wie aus dem Mund des Bankers meines Bruders.«

»Ich arbeite zwar hin und wieder für eine Bank, bin aber kein Banker. Und deinen Bruder kenne ich nicht.«

»Schwörst du das beim Blut deiner Vorfahren?«

»Das klingt sehr grimmig, selbst für ein irisches Mädchen, aber ja, ich schwöre. Was hat es mit dem Banker auf sich?«

»Meine Familie bemüht sich mit allen Mitteln, einen Ehemann für mich zu finden. Sie meinen es nur gut, aber ich will im Augenblick keinen Mann.«

Na großartig. Im Geist verzog Kellen das Gesicht. Diese Frau hatte Prinzipien, wertvolle Ziele und zeigte Entschlossenheit. Sie hatte nicht nur wunderschöne, große braune Augen, sondern war offensichtlich auch noch intelligent. Genau das, was er jetzt nicht brauchte.

»Weil dir andere Dinge im Moment wichtiger sind. Wie zum Beispiel dein Studium.«

»Genau.«

Aus dem Augenwinkel nahm Cate eine Bewegung wahr, und als sie sich umdrehte, sah sie Pugg auf die Theke zusteuern.

»Was ist hier los?«, fragte Pugg und stellte sich neben

Kellen. »Pugg spürt, dass jemand sich an seine Freundin heranmacht.«

Kellen sah zu Pugg hinunter und lächelte. »Kellen McBride«, stellte er sich vor und streckte die Hand aus.

»Patrick Pugg.«

»Ich bin nicht deine Freundin«, zischte Cate leise und hoffte, eine Szene vermeiden zu können.

»Pugg hat Pläne.«

»Pugg ist ein Spinner«, erwiderte Cate eine Spur lauter.

»Das haben schon viele Leute zu Pugg gesagt, aber Pugg lässt sich nicht so leicht abwimmeln. Pugg wird draußen warten, um dich heimzubegleiten.«

»Nein!«, entgegnete Cate. »Und wenn du mir jetzt sagst, dass Pugg kein Nein akzeptiert, dann lasse ich dich aus der Bar werfen.«

»Dann sind Puggs Lippen versiegelt, aber du kennst Puggs Gedanken.«

»Ich werde Cate nach Hause bringen«, erklärte Kellen.

»Das glaubt Pugg nicht.«

»Aber es stimmt«, warf Cate ein. »Er ist mein … mein Freund.«

»Man hat Pugg gesagt, du seist nicht in festen Händen. Und dass du dich danach sehnst, dich mit jemandem im Heu zu wälzen. Vielleicht wurde es nicht wortwörtlich so ausgedrückt, aber Pugg glaubt, dass das damit gemeint war.«

»Kellen und ich wälzen uns sehr oft im Heu«, sagte Cate.

»Davon hat Cates Mutter Pugg nichts gesagt.«

»Sie weiß es nicht«, erklärte Cate. »Kellen ist mein Geheimnis. Ich glaube, Mutter wäre nicht damit einverstanden.«

»Und warum wäre deine Mutter damit nicht einverstanden?«, fragte Pugg nach.

»Es ist wegen meines Jobs«, sagte Kellen. »Ich töte Menschen. Der Job ist gut bezahlt, aber in der Gesellschaft nicht anerkannt.«

»Pugg glaubt, dass du Pugg möglicherweise auf den Arm nimmst, aber Pugg ist sich nicht ganz sicher. So wie du aussiehst, könntest du ein Killer sein. Pugg wird draußen warten und alles aus respektvoller Entfernung beobachten.«

»Sehe ich tatsächlich aus wie ein Killer?«, fragte Kellen Cate.

Sie musterte ihn eingehend. Er hatte Lachfältchen um die Augen herum, aber da zeichnete sich noch etwas anderes in seinem Gesicht ab. Durchsetzungsvermögen, dachte Cate. Er war älter als sie und hatte schon mehr vom Leben gesehen. Und sie nahm an, dass nicht alles, was er erlebt hatte, gut gewesen war. »Du siehst nicht aus wie ein Killer«, antwortete sie. »Aber du siehst aus, als könntest du töten, wenn du dazu gezwungen wärst.«

Kellens Gesichtsausdruck änderte sich nicht. Sein Blick war fest und unverbindlich, und seine Lippen blieben entspannt und deuteten ein leichtes Lächeln an. Das machte Cate bewusst, dass sie der Wahrheit erschreckend nahe gekommen war.

»Ich werde warten und dich hinausbegleiten«, erklärte Kellen. »Schließlich will ich nicht, dass du als Schwindlerin enttarnt wirst.«

»Danke«, erwiderte Cate und fragte sich, ob sie in Puggs Gesellschaft nicht sicherer gewesen wäre.

Das Evian's schloss montags um elf Uhr. Gerald Evian, der Inhaber der Bar, dämpfte die Beleuchtung um zehn vor elf, und die wenigen noch anwesenden Gäste rutschten von den Barhockern und schlenderten hinaus. Um fünf Minuten nach elf war die Kasse abgerechnet, die Flaschen waren verkorkt, und alle Gläser waren sauber. Evian schloss Cate und Kellen die Tür auf, und die beiden traten aus der kühlen Bar hinaus in die warme Nacht.

Auf dem Gehsteig wartete Pugg. »Pugg ist der Meinung, dass hier irgendetwas nicht mit rechten Dingen zugeht, also wartet Pugg, um mehr darüber herauszufinden«, erklärte er.

Kellen zog Cate an sich und küsste sie. Der lange Kuss war sanft, und Cate spürte nur für einen kurzen Moment Kellens Zungenspitze. Er war nicht so ungestüm, dass Kellen dafür ihr Knie in seinem Unterleib verdient hatte, aber doch so aufregend, dass ihr mit einem Mal heiß wurde.

»Okay, Pugg ist fürs Erste überzeugt«, bemerkte Pugg. »Cate hat Kellen nicht getreten, weil er sie geküsst hat, aber Pugg glaubt immer noch, dass etwas faul ist im Staate Dänemark. Bist du sicher, dass Pugg dich nicht nach Hause begleiten soll?«, wandte er sich an Cate.

»Ich komme schon zurecht«, erwiderte Cate. »Danke trotzdem für das Angebot.«

»Pugg würde sich für dich in Gefahr begeben. Pugg würde dich über schlammige Pfützen tragen und über glühende Kohlen laufen. Pugg würde dich auf den Mond bringen.«

»Ich muss jetzt nach Hause.« Cate wich ein Stück zurück.

»Pugg würde die höchsten Berge erklimmen. Pugg würde in ein brennendes Gebäude laufen. Pugg würde seine Nachspeise mit dir teilen.«

Als Cate und Kellen bereits einen halben Block von Pugg entfernt waren, konnten sie ihn immer noch hören.

»Pugg würde Spinnen, Schlangen, Schnecken und anderes ekliges Getier töten. Pugg würde sich von dir den Hintern versohlen lassen.«

Kellen brach in Gelächter aus, und Cate legte die Hände über ihre Ohren und lief die Straße hinunter.

Vier Häuserblocks weiter blieb sie vor Martys Gebäude stehen. »Tut mir leid wegen Pugg.«

»Er ist schon in Ordnung«, meinte Kellen. »Er bemüht sich nur allzu übertrieben und sollte sich einfach ein wenig beruhigen.« Kellen warf einen Blick auf das Haus. »Hier wohnst du?«

»Ja, zur Untermiete.«

»Ich nehme an, dass du nicht vorhast, mich nach oben zu bitten.«

»Richtig, aber ich weiß es zu schätzen, dass du mich vor Pugg gerettet hast.«

»Willst du noch einen Kuss?«

Cate lächelte und steckte den Schlüssel in das Sicherheitsschloss. »Einer ist genug.«

»Nicht für mich«, entgegnete Kellen. Und es kam ihm in den Sinn, dass er dieser Situation möglicherweise nicht gewachsen wäre. Seine Gefühle für Cate Madigan waren viel zu stark.

Bisher war der Morgen ruhig verlaufen. Keine bedrohlichen Anrufe. Keine unangekündigten Besuche von Patrick Pugg. Marty war abgereist, ohne ihr ein genaues Datum seiner Rückkehr zu nennen. Es war kurz nach neun Uhr, und in der stillen Wohnung fiel es Cate schwer, nicht an Kellen McBride und seinen Kuss zu denken. Sie musste sich eingestehen, dass es ein fantastischer, atemberaubender Kuss gewesen war.

Als Cates Gegensprechanlage summte, murmelte sie rasch ein Gebet, dass es sich nicht um Pugg handeln möge.

»Ja?«, meldete sie sich.

»Hier ist eine Lieferung für Marty Longfellow.«

Cate drückte auf den Knopf, mit dem sie die Haustür öffnen konnte. »Kommen Sie herauf.«

Wenige Minuten später klingelte es an der Wohnungstür. Cate öffnete mit einer Kaffeetasse in der Hand und starrte den Mann und den Hund an, die vor ihr im Flur standen. Der Mann war von mittlerer Statur und trug ein T-Shirt mit der Aufschrift *Rudy's Security*. Der Hund war ein riesiges, sabberndes Vieh.

»Zustellung eines Hundes«, erklärte der Mann.

»Sie haben sich sicher in der Tür geirrt.«

»Auf diesem Formular steht, dass ich den Hund in 4A abliefern soll, und dies ist 4A, oder nicht?«

»Schon, aber ich habe keinen Hund bestellt.«

»Nun, Schätzchen, aber irgendjemand hat das getan.« Er riss das oberste Blatt von dem Formular ab und reichte es Cate. »Anscheinend hat ein gewisser Marty Longfellow den Hund gekauft. Ich habe auch noch ein Paket für Sie. Darin befinden sich alle Papiere.«

»Das kommt nicht in Frage.«

»Ist wohl nicht Ihr Glückstag heute, was?«

»Der Hund muss zurück.«

»Tut mir leid, aber eine Rücknahme ist nicht möglich. So steht es im unteren Teil des Formulars. *Rudy's* ist nicht zuständig für Familienstreitigkeiten. Sie haben den Hund gekauft, und ich liefere ihn.«

»Aber ich habe ihn nicht gekauft!«

»Wohnt Marty Longfellow hier?«

»Ja.«

»Na also. Ende der Diskussion.« Der Mann reichte Cate die Hundeleine. »Ich wünsche Ihnen einen schönen Tag, Lady. Hier im Gang steht ein Sack mit Hundefutter für den Hund. Rudy legt großen Wert darauf, dass seine Hunde einen guten Einstand haben. Sie wollen sicher nicht, dass er sich vor Hunger an ihrem Wohnzimmertisch festbeißt, oder?«

»Sie machen wohl Witze!«

»Wie man's nimmt.« Der Mann warf den Sack mit Hundefutter in den Wohnungsflur, und der Hund hechtete hinterher. »Sehen Sie sich das an«, meinte der Mann. »Er macht es sich schon gemütlich bei Ihnen.« Dann drehte er sich um und zog dabei die Tür hinter sich zu.

Cate riss die Tür wieder auf und beobachtete, wie der Lieferant von *Rudy's* den Gang entlanghastete und auf den Knopf des Aufzugs drückte. Sobald sich die Türen öffneten, sprang er hinein. Cate seufzte tief, verschloss die Tür von innen und wandte sich dem Hund zu. Das Tier schnüffelte an der Tüte mit dem Futter, kratzte mit den Pfoten daran und wedelte mit dem Schwanz.

Cate öffnete das Paket mit den Informationen und überflog die Papiere. »Hier heißt es, dass du ein Bullmastiff bist. Und dein Name ist Biest. Na, das passt ja.«

Das kurze Fell des Hundes war eine Mischung aus Braun und Schwarz, und seine Nase war wie die eines Boxers leicht zurückgesetzt. Er hatte Schlappohren und einen breiten Nacken. Seine braunen Augen trugen einen gefühlvollen Ausdruck. Er hatte einen leichten Überbiss und Tränensäcke unter den Augen. Sein Kopf reichte beinahe bis zu Cates Hüfte, und nach Cates Schätzung wog er etwa sechzig Kilo.

»Das ist eine Katastrophe«, erklärte Cate dem Hund. »Ich verstehe überhaupt nichts von Hunden. Ich hatte noch nie einen Hund, und – nimm es mir bitte nicht übel – du gleichst eher eineinhalb Hunden.«

In dem Paket befand sich auch ein Umschlag, der an Cate adressiert war. Sie erkannte Martys Handschrift, riss das Kuvert auf und las den Brief.

Liebe Cate,
ich musste überstürzt abreisen und machte mir dann große Sorgen, weil ich dich in meiner Wohnung allein gelassen habe und du ständig diese schrecklichen Anrufe entgegennehmen musst. Also habe ich die Sache in die Hand genommen und meinen Freund Rudy gebeten, dir einen seiner wundervollen, speziell ausgebildeten Wachhunde zu schicken, damit du Gesellschaft hast. Ich glaube zwar nicht, dass diese Anrufe eine echte Gefahr darstellen, aber, weiß der Himmel, heutzutage kann man nicht vorsichtig genug sein. Ich bin sicher, dass du hervorragend mit Rudys Hund zurechtkommen wirst und bis zu meiner Rückkehr gut für ihn sorgen wirst. Gib ihm ein Küsschen von mir und sag ihm, dass sein Herrchen bald wieder zu Hause sein wird.
Marty

Cate drehte sich zur Wand und schlug ihre Stirn dagegen. *Bum, bum, bum.* »Das kann ich nicht gebrauchen«, sagte Cate. »In zwei Wochen beginnt das nächste Semester. Was soll ich tun, wenn Marty bis dahin nicht wieder hier ist? Und was soll ich jetzt tun? Ich glaube nicht, dass ich Hunde mag. Ich hatte noch nie eine Beziehung zu einem Hund. Und dieser Hund ist so groß – und nicht einmal hübsch. Meine Güte, jetzt führe ich schon Selbstgespräche!«

Cate wählte Martys Handynummer, aber es meldete sich nur seine Mailbox.

»Marty«, sprach Cate auf Band. »Ich weiß, du hast es gut gemeint, aber ich will keinen Hund. Ich weiß nichts mit ihm anzufangen. Und dieser Hund ist riesig. Du musst Rudy sagen, dass er ihn wieder abholen soll.«

Cate sah Biest an. »Es tut mir leid, dass du das mit anhören musstest, aber wahrscheinlich ist das nichts Neues für dich. Ich wette, man hat dich schon oft abgelehnt, weil du so groß bist und … na ja, du weißt schon, nicht wirklich süß.«

Biest hörte auf, an dem Sack mit dem Hundefutter zu scharren, und richtete den Blick auf Cate. Dann schüttelte er kräftig den Kopf, und Speichel flog von seinen hängenden Lefzen in alle Richtungen. Als er versuchte, sich mit einem Hinterbein am Ohr zu kratzen, fiel er um.

Du lieber Himmel, dachte Cate. Dieser Hund ist nicht nur hässlich – er ist ein Desaster.

Cate rief Sharon an. »Ich habe ein Problem. Marty hat einen Hund gekauft, der hier angeliefert wurde, und ich habe keine Ahnung, was ich mit ihm anfangen soll. Kennst du dich mit Hunden aus?«

»Ich weiß nur, dass sie fressen und das Futter irgendwann hinten wieder herauskommt. Dann musst du die Hinterlassenschaften in ein Plastiktütchen schaufeln, ansonsten musst du Strafe zahlen. Das ist der Grund, warum ich keinen Hund habe. Welche Rasse ist es?«

»Ein Bullmastiff.«

»Dann vergiss das Plastiktütchen. In diesem Fall brauchst du einen größeren Behälter. Ich bin hier gerade noch beschäftigt, aber sobald ich nach Hause komme, schaue ich bei dir vorbei.«

Kapitel 4

Cate rief Julie Lamb an. Julie stammte aus Birmingham und hatte die unmöblierte Wohnung neben Sharons gemietet. Sie schlief in einem Schlafsack auf dem Boden. Ihr kleiner, gebrauchter Fernsehapparat stand auf einem stabilen Pappkarton, und Julies Sitzmöbel war ein Gartenstuhl. Damit war ihr Vorrat an Mobiliar erschöpft. Sie besaß zwei Töpfe und eine Pfanne und holte sich morgens ihren Kaffee zwei Eingänge weiter in einem Café. Sie war in Cates Alter und hatte seit ihrem Abschluss an der Highschool als Bedienung gearbeitet. Eines Nachts hatte sie geträumt, dass sie nach Boston umziehen würde, und am nächsten Tag hatte sie diesen Traum verwirklicht. Das war vor etwas über einem Jahr gewesen, und Julie dachte immer noch über diesen Traum nach und wartete darauf, dass irgendetwas Wundervolles geschehen würde. Abends arbeitete sie als Hostess in einem der in sogenannte »Party Trolleys« umgebauten Touristenbusse. Tagsüber saß sie auf ihrem Gartenstuhl und brachte ihre Gedanken zu Papier.

»Hallo, Nachbarin«, begrüßte Julie Cate. »Was gibt's?«

»Marty hat einen Hund gekauft. Er wurde gerade geliefert. Marty ist nicht zu Hause, und ich habe keine Ahnung, was ich mit dem Hund machen soll. Kennst du dich mit Hunden aus?«

»Wir hatten immer einen Hund im Haus«, erwiderte Julie. »Ich bin gleich bei dir.«

Wenige Minuten später stand Julie vor Biest, stützte die Hände in die Hüften und grinste. »Sieh dir nur diesen Hund an! So ein Prachtexemplar habe ich noch nie gesehen. Schau dir nur sein knuddeliges Gesicht an, die großen braunen Augen und die Hängeohren!«

Biest bellte begeistert, sprang hoch und legte seine riesigen Vorderpfoten so ungestüm auf Julies Oberkörper, dass sie beide zu Boden gingen.

»Hoppla«, stieß Julie hervor. »Das ist wirklich ein großes Tier!«

Julie hatte honigblondes Haar und blaue Augen und sprach mit einem starken Alabama-Dialekt, der manchmal beinahe wie eine Fremdsprache klang. Meistens trug sie ihr langes, glattes Haar zu einem Pferdeschwanz zusammengebunden. Sie war durchschnittlich groß und hatte die Figur eines durchschnittlichen Mädchens von nebenan – wenn dieses Mädchen in Alabama lebte und eine Menge gebratener Okraschoten und Maisgrütze aß.

»Angeblich ist er ausgebildet«, erklärte Cate und zog Biest mit Mühe von Julie herunter. »In seinen Papieren steht, er sei ein Wachhund.«

Julie stand auf und lehnte sich gegen eine Wand, damit sie nicht wieder umgeworfen wurde, falls Biest ihr noch einmal seine Zuneigung zeigen wollte. »Mit abgerichteten Hunden kenne ich mich nicht aus«, meinte sie. »Wir haben meistens nur die Tür aufgemacht und den Hund hinauslaufen lassen. Wenn er hungrig war, tauchte er dann an der Hintertreppe wieder auf.«

»Du musstest also nicht mit ihm Gassi gehen und seine Häufchen in eine Tüte schaufeln?«

»Nicht da, wo ich herkomme. Wir waren schon froh, wenn der alte Mr. Lawson sich nicht auf unserem Rasen erleichterte. Die Hunde ließen wir einfach tun, was die Natur für sie vorgesehen hatte.«

»Ich nehme an, du willst Biest nicht zu dir nehmen, oder?«

»Herzchen, ich würde Biest liebend gern nehmen, aber mein Vermieter hat mir ausdrücklich gesagt, dass ich keine Tiere halten darf. Keine Ahnung, warum nicht. Die Wohnung ist ohnehin nicht möbliert. Und was sollte ein Hund an einem Gartenstuhl aus Aluminium kaputt machen? Aber ich begleite dich gern, wenn du mit ihm Gassi gehst.«

»Was denkst du, wann er rausmuss?«

»Ich bin der Meinung, dass dieser Hund ständig Bewegung braucht. Sieh dir nur seine Muskeln an. Er erinnert mich an meinen Cousin Vern. Vern hat im Knast tüchtig trainiert. Als er entlassen wurde, hatte er keinen Nacken mehr. Er sah aus wie diese riesigen Gorillas. Wann kommt Marty zurück?«

»Ich weiß es nicht. Er erzählte mir von einem Auftritt bei einer Privatparty auf Aruba, aber er hat mir nicht gesagt, wann er wieder hier sein würde. Evian hat ihn für Freitag eingetragen.«

Es klingelte an der Tür, dann schlug jemand mit der Faust dagegen.

Cate warf einen Blick durch den Türspion. »Oh, nein!«

»Wer ist es?«

»Kitty Bergman.«

»Diese Frau jagt mir eine Heidenangst ein«, sagte Julie. »Ich bin sicher, dass sie mit dem Teufel unter einer Decke steckt. Ich weiß, dass sie und Marty gut befreundet sind, aber diese Beziehung habe ich nie verstanden.«

»Ich weiß, dass ihr dort drin seid«, schrie Kitty Bergmann durch die Tür. »Ich höre euch flüstern, und ich kann euch riechen!«

Als Cate die Tür öffnete, kam Kitty hereingestürmt. »Wo ist er? Wo ist dieses elende, betrügerische Exemplar von einem Mann … oder einer Frau?«

»Er ist auf Aruba.«

»Aruba? Was zum Teufel macht er auf Aruba?«

»Er war dort gestern Abend auf einer Privatparty gebucht.«

»Ich werde ihn töten«, stieß Kitty Berman hervor. »Ich werde ihn finden und ihm die Eier abschneiden. Und dann bringe ich ihn um.«

»Autsch«, flüsterte Julie.

Kitty Bergman war 1,57 groß, wog nackt genau 50 Kilo und hatte einen so muskulösen Po, dass sie damit problemlos Walnüsse hätte knacken können. Sie war fünfundfünfzig Jahre alt und hatte sich von den besten Schönheitschirurgen Bostons liften und das Fett absaugen lassen. Kitty war mit Ronald Bergman verheiratet, dem zukünftigen Erben des Wellpappenschachtelimperiums Bergman. Die Bergmans besaßen eine Villa an der Commonwealth Avenue in Back Bay, und während Ronald unterwegs war, um auf seiner unersättlichen Jagd nach Zellstoff weitere unberührte Wälder abzuholzen, verbrachte Kitty ihre Tage damit, Spendengelder aufzutreiben. Sie scherte sich den Teufel um die verschiedenen Wohltätigkeitsorganisationen, die sie unterstützte, aber sie liebte es, ihre sechzigtausend Dollar teuren porzellanweißen Zahnkronen im Gesellschaftsteil des *Boston Globe* strahlen zu sehen.

Kitty hatte sich breitbeinig vor ihnen aufgebaut und die Hände in die Hüften gestemmt. Ihr platinblondes Haar war im Nacken zu einem festen Knoten zusammengedreht, und ihre Füße steckten in hochhackigen Schuhen von Manolo. Sie trug ein aquamarinblau-kristallfarbenes Strickkostüm von St. John, und an ihrer Schulter baumelte eine Handtasche von Chanel. Mit zusammengekniffenen Augen beugte sie sich leicht vor und starrte Cate an.

»Ich werde wie die Fliegen auf einem verdorbenen Hamburger an dir kleben, bis du deinen wertvollen Mitbewohner verpfeifst. Ich weiß, dass du da mit drinsteckst.«

»Wo drin?«, fragte Cate. »Was meinen Sie damit? Wovon sprechen Sie?«

Kitty richtete den Finger drohend auf Cate. »Versuch nicht, mich zu verschaukeln!«

Biest drückte sich von hinten an Cates Beine und versuchte, sich so gut wie möglich vor Kitty Bergman zu verstecken. Er spähte an Cate vorbei und begann zu winseln.

Kitty streifte ihn mit einem flüchtigen Blick und schnalzte angewidert mit der Zunge. Dann drehte sie sich auf dem Absatz um, schwang ihren vom Stepper gestählten Po aus der Wohnung und knallte die Tür hinter sich zu.

»Meine Güte«, stöhnte Julie.

Cate tätschelte vorsichtig Biests Kopf. »Alles in Ordnung«, sagte sie zu dem Hund. »Sie ist weg.«

»Sollte das nicht ein großer, mutiger Wachhund sein?«, erkundigte sich Julie.

»So steht es zumindest in seinen Papieren. Es heißt, er sei zum Kampfhund ausgebildet worden.«

»Vielleicht hat er heute seinen freien Tag«, meinte Julie. Sie kraulte Biest hinter dem Ohr, und er schenkte ihr ein Lächeln. »Aber vielleicht hat man dir nur vorgemacht, dass er ein Killerhund ist. Meiner Meinung nach sieht er aus wie ein herzensgutes Riesenbaby. Ich wette, er ist in der Hundeschule durchgerasselt. Wahrscheinlich hat er sich geweigert, Menschen anzufallen.«

»Das soll mir recht sein«, erklärte Cate. »Ich will keinen Hund, der Menschen beißt. Aber es wäre nicht schlecht, wenn er furchterregend aussehen würde.«

»Das könnte er wahrscheinlich auch«, sagte Julie. »Aber dazu müsstest du ihm sein Lächeln abgewöhnen. Ich habe noch nie einen Hund so grinsen sehen.«

Biest wedelte mit dem Schwanz und fegte dabei eine Blumenvase aus Kristall von einem Beistelltisch. Als sie auf den Boden krachte, sprang er erschrocken hoch und stieß mit seinem Hinterteil den Tisch um.

»Der arme Kerl fühlt sich sicher wie ein Elefant im Porzellanladen«, bemerkte Julie.

Cate biss sich auf die Unterlippe, um ein hysterisches Kichern zu unterdrücken. Würde Biest jemand anderem gehören, hätte sie bei dieser komischen Ungeschicklichkeit laut losgelacht. Nur leider war er so etwas Ähnliches wie ihr Hund, und das jagte ihr ein wenig Angst ein.

»Du willst doch nicht, dass dein Hund mit seinen Riesenpfoten in die Glasscherben tritt«, meinte Julie. »Warum gehst du nicht mit ihm spazieren, während ich hier aufräume und dann abschließe? Ich würde dich begleiten, aber ich war gerade dabei, etwas in mein Buch zu schreiben, und das möchte ich gern beenden.«

Cate steckte den Wohnungsschlüssel und ein paar große Plastiktüten ein und überredete Biest, ihr in den Gang und weiter zum Fahrstuhl zu folgen. Sie fuhren zum Erdgeschoss hinunter, und Cate zerrte Biest durch die Lobby zur Vordertür des Gebäudes.

Sobald Biest sich auf dem Gehsteig befand, streckte er die Nase in die Luft, riss die Augen auf und galoppierte los zu dem winzigen Park auf der anderen Straßenseite, wobei er Cate quer durch den Verkehr hinter sich herzog.

Als seine Pfoten Gras berührten, blieb er abrupt stehen und verbrachte die nächsten zwei Minuten damit, eine große Pfütze auf dem Rasen zu hinterlassen. Anschließend jagte er ein Eichhörnchen auf einen Baum, setzte sich in den Schatten und weigerte sich weiterzugehen.

Cate zog an der Leine, und Biest knurrte leise. Na großartig, dachte Cate, jetzt beschließt er mit einem Mal, sich durchzusetzen. Cate wollte den ausgebildeten Killerhund nicht verärgern, also setzte sie sich neben Biest auf eine Bank und beobachtete gemeinsam mit ihm die vorübergehenden Passanten. Nach einer Weile legte Biest sich hin und schlief ein. Eine Stunde verging, und der Hund schlief immer noch, aber Cate wurde unruhig.

»Ich muss noch einige Dinge erledigen«, sagte sie zu Biest. »Und auf dieser Bank wird es allmählich unbequem.«

Biest schlug ein Auge auf, sah Cate kurz an und schlief weiter.

Kellen hatte einen seiner regelmäßigen Kontrollgänge vor dem Wohngebäude gemacht, als er überrascht Cate mit einem Hund in dem kleinen Park sitzen sah. Bei seinen Nachforschungen war von einem Hund nicht die Rede gewesen, und er spürte einen Stich der Eifersucht. In Cates Leben gab es also bereits ein kräftiges männliches Wesen.

Die Tatsache, dass dieses männliche Wesen Schlapp-ohren und hängende Lefzen hatte und dass seine Pfoten für seinen Körper viel zu groß waren, tröstete ihn nicht. Er würde gegen einen Bullmastiff antreten müssen. Und noch schlimmer war, dass er sich nur mit Mühe in Cates Bett würde hineinbugsieren können, denn viel Platz wür-de für ihn nicht bleiben, wenn der Hund an Bord war.

Kellen überquerte die Straße und ging auf Cates Bank zu. Er bemerkte, dass der Hund ein Auge öffnete und mit zitternder Nase schnüffelte, um ihn zu überprüfen. Das Auge blieb wachsam, aber der Hund rührte sich nicht, also nahm Kellen an, dass er den ersten Test bestanden hatte.

Cate hörte Schritte hinter sich und drehte sich um. Als Kellen MacBride sich neben sie auf die Bank sinken ließ, holte sie unwillkürlich tief Luft. Der Mann sah auch bei Tageslicht verdammt gut aus. Er hatte die Ärmel sei-nes dünnen Sweatshirts bis zu den Ellbogen hinaufge-schoben. Dazu trug er Jeans und Laufschuhe. Seine Arm-banduhr sah teuer aus, und er hatte keinen Ehering am Finger.

»Es ist kein gutes Zeichen, wenn jemand auf einer Parkbank sitzt und Selbstgespräche führt«, meinte Kel-len.

»Ich habe mit dem Hund geredet«, erklärte Cate.

»Schätzchen, der Hund schläft tief und fest.«

»Ich hatte gehofft, er würde aufwachen. Allmählich habe ich keine Lust mehr, hier zu sitzen.«

»Und?«

»Ich habe ein wenig Angst vor ihm. Und ich weiß nicht so recht, wie ich ihn in die Wohnung zurückbringen soll.«

Kellen legte den Arm auf die Rückenlehne der Bank und berührte dabei mit der Hand leicht Cates Schulter. Freundlich, ohne aufdringlich zu wirken. Während er mit Cate sprach, beugte er sich zu ihr vor und lächelte. In Cates Augen beherrschte Kellen McBride es meisterhaft, sich an die Grenze heranzutasten, die akzeptables Verhalten von unakzeptablem trennte. Er wusste genau, wie weit man gehen konnte, ohne ein Knie in den Unterleib gerammt zu bekommen.

»Mir scheint, dass ich etwas Wichtiges verpasst habe«, meinte Kellen.

»Ich wohne bei Marty Longfellow zur Untermiete. Er ist gestern nach Aruba gereist, und heute Morgen kam ein Mann und lieferte diesen Hund bei mir ab. Angeblich handelt es sich um einen ausgebildeten Wachhund. Marty war der Meinung, dass ich während seiner Abwesenheit Schutz bräuchte. Und nun habe ich ein Problem, denn ich verstehe rein gar nichts von Hunden. Und dieser ist so groß. Und ungeschickt.«

»Warum glaubte Marty, du bräuchtest Schutz? Dieses Viertel gilt als recht sicher.«

»Marty hat ein paar merkwürdige Anrufe erhalten. Wahrscheinlich hat ihn das in Panik versetzt.«

»Wie heißt der Hund?«

»Biest.«

Kellen fand, der Name Floyd hätte besser zu ihm gepasst. Er streckte Biest seine Hand entgegen, und Biest hob den Kopf und beschnüffelte Kellens Finger.

»Er verhält sich ungeschickt, weil er noch jung ist«, erklärte Kellen. »Er ist noch ein Welpe.« Kellen nahm Biests Leine und stand auf. Der Hund folgte seinem Beispiel. Dann gab Kellen Biest ein Handzeichen, und das Tier setzte sich und wedelte mit dem Schwanz. »Guter Hund«, lobte Kellen und wandte sich dann an Cate. »Du hast wahrscheinlich keine Hundeleckerbissen dabei, oder?«

»Nein. Sollte ich?«

»Damit könntest du ihn für gutes Verhalten belohnen. Und wenn du gar nicht mehr weiterweißt, kannst du ihn damit bestechen. Er wird sicher ein liebes Haustier werden, aber für einen zuverlässigen Wachhund ist er noch viel zu jung.«

»In seinen Papieren steht, dass er zum Kampfhund ausgebildet wurde.«

Kellen grinste zu Cate hinunter. »Na klar, genauso sieht er aus.«

Fünf Minuten später standen sie gemeinsam in Martys Wohnung.

»Also hier wohnt der berühmte Marty Longfellow«, sagte Kellen. »Sehr hübsch. Offensichtlich verdient er nicht schlecht.«

»Er arbeitet sehr hart«, erklärte Cate.

»Du magst ihn also?«

»Ja, aber wir sind nicht eng miteinander befreundet. Wir haben einen unterschiedlichen Tagesrhythmus, und Marty ist oft auf Reisen. Trotzdem ist er ein angenehmer Mitbewohner.« Cate nahm Biest die Leine ab, und der Hund machte sich zu einem Erkundungsspaziergang in der Wohnung auf. »Was für ein Glück, dass du gerade vorbeikamst und mir helfen konntest«, meinte Cate.

»Ich wohne nur einige Häuserblocks von hier entfernt. Daher gehe ich oft an dem kleinen Park vorbei.«

»Auf dem Weg zur Arbeit?«

»Manchmal.« Kellen ging in die Küche und stöberte in den Wandschränken, bis er eine große Schüssel fand. Er füllte das Gefäß mit Wasser und stellte es für Biest auf den Küchenboden. Der Hund kam hereingestürmt und schlabberte die Schüssel leer.

»Ich habe jetzt leider eine Verabredung, aber ich könnte gegen ein Uhr wiederkommen und dann den Hund gemeinsam mit dir spazieren führen. Bis dahin sollte er durchhalten.«

»Das wäre großartig! Bist du sicher, dass dir das nichts ausmacht?«

Kellen lächelte sie an. »Mach dir deshalb keine Gedanken. Ich mag Hunde. Allerdings hätte ich dir diesen Vorschlag wahrscheinlich nicht gemacht, wenn du einen Yorkshire Terrier namens Poopsie in einem pinkfarbenen Pullover hättest.«

Wenn ich einen Yorkshire Terrier hätte, würde ich mit der Situation auch allein zurechtkommen, dachte Cate.

Kapitel 5

»Ich habe kurz bei der Tierhandlung *Wau-Wau* in der Tremont Street angehalten und ein paar Hundeleckerbissen gekauft«, berichtete Kellen, als Cate ihm die Tür öffnete. »Geh sparsam damit um. Und ich habe dir auch ein Buch über die grundlegenden Befehle mitgebracht. Offensichtlich war Biest bereits in der Hundeschule. Du solltest mehrmals am Tag mit ihm arbeiten, um das zu vertiefen, was er bisher gelernt hat.«

»Woher weißt du so viel über Hunde?«

»Als Kind hatte ich immer einen Hund. Und in meinem letzten Job habe ich mit einem Hund gearbeitet.«

»In welchem Job?«

Kellen zögerte einen Moment lang. Die Leute reagierten unterschiedlich, wenn sie das erfuhren. Und er war sich nicht sicher, ob er für all die Fragen bereit war, die zwangsläufig folgen würden. Andererseits fühlte er sich mehr und mehr zu Cate hingezogen, und er wollte sich die Sache nicht verderben, indem er mehr Informationen zurückhielt, als unbedingt notwendig war.

»Ich war Polizist«, erklärte Kellen.

»Wow! Dann war also die Feststellung, dass du deinem Aussehen nach ein Killer sein könntest...«

»Ich möchte mich im Augenblick nicht darüber unterhalten«, unterbrach Kellen sie. »Und um das einmal festzuhalten: Polizisten töten höchst selten Menschen.«

»Warum hast du dir einen anderen Job gesucht?«

»Weil ich mich zu stark eingeschränkt fühlte. Und es stellte sich heraus, dass ich nicht immer gut mit Kollegen zusammenarbeite.«

»Und was tust du jetzt?«

»Verschiedenes. Manchmal arbeite ich im Sicherheitsbereich.« Kellen befestigte die Leine an Biests Halsband und reichte sie dann Cate. »Lass uns einen Spaziergang machen.«

»Warst du Polizist in Boston?«, fragte Cate.

»Nein.«

»Wo dann?«

»Jetzt bin ich an der Reihe, eine Frage zu stellen«, meinte Kellen. »Wie alt warst du, als du deine Jungfräulichkeit verloren hast?«

»Schon gut«, erwiderte Cate. »Ich habe den Wink mit dem Zaunpfahl verstanden. Lass uns gehen.«

Julie folgte Cate in deren Schlafzimmer. »Ich habe ihn von meinem Fenster aus gesehen«, erklärte sie. »Ich habe beobachtet, wie er mit dir und Biest das Haus verlassen hat, wie ihr drei zum Park auf der anderen Straßenseite gegangen und dann den Block hinuntergeschlendert seid. Und ich habe auch gesehen, wie ihr zurückgekommen seid. Sobald der große, dunkelhaarige Typ mit der knackigen Figur das Haus wieder verlassen hatte, bin ich zu dir nach oben gerannt. Schätzchen, er sieht wirklich zum Anbeißen aus. Wer ist der Mann? Seit wann kennst du ihn? Ist er gut im Bett? Er sieht so aus, als wäre er fantastisch im Bett!«

»Er ist nur ein Gast aus der Bar, der sich meiner erbarmt hat, als ich verzweifelt versuchte, Biest wieder nach Hause zu locken. Ich weiß nicht viel über ihn.«

»Ich finde, du solltest mal eine Probefahrt mit ihm riskieren.«

»Und ich denke, ich sollte mich umdrehen und gehen, ohne auch nur einen Blick zurückzuwerfen. Der Mann hat irgendetwas an sich, was mein Radarwarnnetz aktiviert. Er ist ein Heimlichtuer. Und er hat eine gewisse Art zu lächeln, bei der sich zwar seine Lippen verziehen, man seinen Augen aber ansieht, dass er gleichzeitig über etwas nachdenkt. Außerdem sieht er viel zu gut aus.«

»Schätzchen, es ist nicht möglich, dass ein Mann zu gut aussieht. Das gibt es nicht.«

Biest kam um die Ecke gebogen. Als er Julie entdeckte, stellte er die Ohren auf, und seine Augen begannen, freudig zu glänzen.

»Oje«, meinte Julie. »Dein Hund wird mich gleich noch einmal umwerfen.«

Cate sprang rasch vor und gab Biest mit der Hand ein Zeichen. »Sitz!«

Biest setzte sich und wedelte frohlich mit dem Schwanz.

»Sieh dir das an«, rief Julie erstaunt. »Meine Güte, er ist anscheinend stolz auf sich.«

Cate steckte Biest ein Leckerli zu. »Der große, dunkelhaarige Typ mit der knackigen Figur hat mir gezeigt, wie das geht. Er hat mit einem Hund gearbeitet, als er Polizist war.«

»Mr. Sexy war früher Polizist? Das bedeutet gute und schlechte Nachrichten gleichzeitig. Das Gute daran ist, dass ein Mann in Uniform einfach unschlagbar ist – vor allem, wenn er eine Waffe trägt. Und die schlechte Nachricht ist, dass die Statistik über die Treue bei Polizisten nicht gerade ermutigend ist. Ich weiß alles darüber, weil ich mich früher mit einigen der Jungs verabredet habe, die im Knast in meiner Heimatstadt arbeiteten. Außerdem ging ich eine Weile mit Amos Cole, dem Stellvertreter des Sheriffs. Amos war ein großartiger Küsser. Das Problem war nur, dass er einfach jeden küsste. Ich habe ihn schon lange nicht mehr gesehen, aber meine Mum erzählte mir, dass Amos einen verfrühten Anfall von Zahnfleischschwund erlitt, bei dem ihm fast alle Zähne ausfielen. Ich bin ja eher der Meinung, dass das mit der ständigen Küsserei zu tun hatte. Amos küsste Leute an Stellen, an die ich nicht einmal denken mag. Er war total verrückt nach Küssen. Irgendwann kam mir zu Ohren, dass Amos Maynard Baileys fetter Zuchtsau einen Zungenkuss gegeben hatte, aber das Gerücht wurde nie bestätigt.«

Es klingelte an der Tür, und als Cate öffnete, stand Sharon vor ihr.

»Ich bin gekommen, so schnell ich konnte«, sagte Sharon. »Meine Güte! Ist das der Hund?«

Biest sah Sharon an und verzog sein Gesicht zu einem Lächeln.

»Sein Name ist Biest«, berichtete Julie. »Und er ist ausgebildet. Wahrscheinlich ist er schlauer als die Hälfte der Leute in meiner Heimatstadt. Bei vielen von ihnen hat es mit der Ausbildung gar nicht geklappt.«

Sharon streckte vorsichtig eine Hand aus und fuhr damit Biest über den Kopf. Biest stieß ein begeistertes Bellen aus, legte seine Vorderpfoten auf Sharons Brustkorb und setzte sich rittlings auf sie, nachdem er sie zu Boden gestoßen hatte.

»Seht euch das an«, sagte Julie. »Genau das hat er mit mir auch gemacht. Wahrscheinlich ist er darauf trainiert, das zu tun.«

Biest presste seine Nase an Sharons.

»Hilfe«, flüsterte Sharon erstickt.

Cate zog Biest von Sharon und befahl ihm, sich zu setzen.

»Es tut mir leid«, beteuerte Cate, während sie Sharon auf die Beine half. »Er ist noch ein Welpe.«

»Ja, das kann ich daran erkennen, dass er nur etwa sechzig Kilo wiegt«, bemerkte Sharon trocken.

»Cate weiß das, weil der große, dunkelhaarige Typ mit dem knackigen Körper es ihr gesagt hat«, erklärte Julie. »Und der Mann zum Anbeißen weiß alles. Er war früher Polizist, aber wir sollten ihm das nicht übel nehmen –

zumindest nicht, solange wir nicht wissen, wie er bei der Frage zur Treue abschneidet.«

»Großer, dunkelhaariger Typ mit knackigem Körper?«, fragte Sharon.

»Nicht der Rede wert«, warf Cate ein. »Es geht um einen Gast aus der Bar, der mich im Park gesehen und mir freundlicherweise mit Biest geholfen hat.«

»Ich habe ihn vom Fenster aus beobachtet«, erklärte Julie. »Und ich wette einen Dollar darauf, dass er durchaus der Rede wert ist, wenn du verstehst, was ich meine.«

»Warum weiß ich noch nichts von dem Typen?«, erkundigte sich Sharon. »Und warum kennt Julie ihn bereits?«

»Julie hat ihn nur gesehen, weil sie neugierig ist und den ganzen Tag aus dem Fenster schaut«, meinte Cate.

»Das stimmt«, bestätigte Julie. »Ich studiere die Menschheit. Selbst während meiner Arbeit in den Partybussen beobachte ich die Leute. Menschen sind sehr interessant. Und ich bin eine gute Beobachterin.« Sie wandte sich an Sharon. »Zum Beispiel weiß ich, dass du heute einen guten Tag hattest. Du strahlst und hast Biest mit keinem Wort beschimpft, als er dich umgeworfen hat.«

»Ich habe heute ein Haus verkauft«, verriet Sharon. »Vor einer halben Stunde wurde der Vertrag unterzeichnet.«

»Juhu!«, rief Julie. »Das ist fantastisch. Wir sollten ausgehen und feiern.«

»Ich muss arbeiten«, erklärte Cate.

»Stimmt, das habe ich vergessen«, sagte Julie. »Ich auch.«

»Wir können nach der Arbeit feiern«, schlug Cate vor. »Ich backe einen Kuchen, und wir treffen uns hier um halb zwölf.«

»Wunderbar«, fand Sharon. »Ich bringe eine Flasche Champagner mit.«

»Ich habe nichts, was ich mitbringen könnte«, gestand Julie.

»Kein Problem«, beruhigte Cate sie. »Du bringst einfach dich selbst mit. Wir wissen, dass du knapp bei Kasse bist.«

»Ich weiß, du wirst dich tadellos benehmen, während ich bei der Arbeit bin«, sagte Cate zu Biest und kraulte ihm die Ohren. »Wahrscheinlich sind deine Gefühle nun ein wenig verletzt, weil ich dich in Martys Badezimmer einschließe. Aber du musst das verstehen ... die Möbel in dieser Wohnung gehören nicht mir. Und auch wenn Marty derjenige ist, der dich gekauft hat, fühle ich mich während seiner Abwesenheit für seine Wohnung verantwortlich. Und hier hast du genügend Platz. Ich habe dir eine Schüssel mit Wasser hingestellt. Und auf diesem flauschigen Vorleger kannst du ein Nickerchen halten. Wenn ich nach Hause komme, darfst du mit Sharon, Julie und mir ein Stück Kuchen essen.«

Biest sah sich in seinem Domizil um. Eine weiße Kommode und ein Waschbecken im Design des Weltraumzeitalters, direkt aus Japan. Eine große Duschkabine. Eine riesige Badewanne mit einer rostfreien Badewannenablage. Unzählige Quadratmeter Boden aus gelbem bulgarischem Kalkstein. Ein flauschiger, weißer Teppich aus einem Fachgeschäft in der Newbury Street. Eine einzelne exotische rote Blume in phallischer Form in einer dunklen asiatischen Tonvase, die auf einem karamell- und cremefarbenen Tischchen aus Onyx stand. Und eine große Schüssel mit Wasser.

Cate zog die Badezimmertür hinter sich ins Schloss und verließ die Wohnung. Sie fuhr mit dem Lift zum Erdgeschoss hinunter, ging durch die Haustür und blieb stehen, als sie Patrick Pugg entdeckte.

»Keine Angst. Pugg ist hier, um dich zur Arbeit zu begleiten«, erklärte Pugg. »Pugg wird dich vor Rüpeln und Personen von zweifelhaftem Charakter beschützen.«

»Ich riskiere es nur ungern, deine Gefühle zu verletzen, aber du bist die einzige Person von zweifelhaftem Charakter, die ich auf dieser Straße sehe.«

»Das mag sein, aber Pugg spürt Gefahr. Pugg ist sehr intuitiv.«

»Kennt Pugg Einzelheiten über diese Gefahr?«

»Noch nicht, aber Pugg ist sicher, dass er darüber bald etwas erfahren wird.«

Cate schlug auf ihrem Weg zur Bar ein rasches Tempo an und versuchte, Pugg hinter sich zu lassen, doch Pugg mühte sich verzweifelt ab, um mit ihr Schritt zu halten.

»Lass es mich wissen, sobald du Details vorweisen

kannst«, meinte Cate. »In der Zwischenzeit sollten wir solche Treffen vermeiden.«

»Geht es um deinen Freund? Er ist eifersüchtig auf Pugg, nicht wahr? Pugg kennt dieses Problem – damit musste Pugg sich bereits herumschlagen.«

»Es geht nicht nur um meinen Freund. Es betrifft *uns*. Zwischen uns wird sich nichts abspielen.«

»Auch dieses Problem ist Pugg nicht fremd. Pugg hat im Laufe der Jahre festgestellt, dass er manchmal einer Frau nur lange genug auf die Nerven fallen muss, bis sie schließlich seinen Wünschen nachgibt. Gelegentlich haben Frauen sogar Sex mit Pugg, um ihn zu bestechen, damit er sie anschließend in Ruhe lässt.«

»Das ist widerwärtig!«

»Stimmt, aber erfolgreich. Ich nehme an, du möchtest nicht vielleicht…«

»Nein!«

»Pugg könnte sich vorstellen, dass du nächste Woche anders darüber denkst.«

»Pugg ist gerade dabei, sich einen weiteren Tritt in die Weichteile einzuhandeln.«

»Dein Temperament gefällt Pugg, aber er würde es vorziehen, nicht noch einmal dein Knie in seinem Schritt zu spüren.«

Cate zog die Eingangstür zu Evian's auf und schlüpfte rasch in die Bar. »Verschwinde!«, brüllte sie Pugg an. »Geh nach Hause! Belästige eine andere Frau.«

Dann ging sie auf direktem Weg zu dem kleinen Raum,

in dem sich die Angestellten umziehen konnten. Sie warf ihre Handtasche in eines der Schließfächer und rief ihre Mutter auf dem Handy an.

»Wo hast du Pugg aufgetrieben?«, wollte sie wissen.

»Ich habe neue Reifen für den Wagen gekauft, und er hat mir einen Preisnachlass gegeben. Ich fand den jungen Mann so nett, dass ich sofort an dich denken musste.«

»Er ist nicht nett! Er ist ein Desaster. Du musst damit aufhören, mich verkuppeln zu wollen. Ich werde selbst einen Mann für mich finden, aber jetzt bin ich noch nicht bereit dafür.«

»Dein Bruder hat einen Banker kennengelernt, der sich wunderbar anhört.«

»Ich flehe dich an – keine weiteren Verkupplungsversuche in der nächsten Zeit!«

»Gut, ich werde mich zurückhalten. Und Danny wird wahrscheinlich das Interesse an deinem Liebesleben verlieren, weil er mit anderen Dingen beschäftigt ist. Amy hat soeben erfahren, dass sie wieder schwanger ist. Ich koche morgen Abend ein besonderes Essen, um die Neuigkeit zu feiern. Es gibt Hühncheneintopf, und es wäre schön, wenn du kommen könntest und einen deiner großartigen Kuchen mitbringen würdest.«

»Natürlich. Das ist eine tolle Nachricht. Ich freue mich wirklich für Danny und Amy. Und ich habe morgen frei, also muss ich nicht vor dem Nachtisch aufspringen und gehen.«

Schon bevor Kellen McBride um halb elf die Bar betrat, war ihm bewusst, dass er sich in großen Schwierigkeiten befand. Cate Madigan ging ihm nicht mehr aus dem Kopf. Er mochte ihren Duft, die Art, wie sie küsste und wie sich ihre Hand in seiner anfühlte. Und ihm gefielen ihr lockiges rotes Haar und ihre Haut, so weiß wie Milch und sommersprossig wie bei Opie Taylor. Sie vereinte alle Dinge, die er an einer Frau bewunderte und fürchtete. Und das führte dazu, dass sich sein Magen zusammenkrampfte und er einen Schmerz in der Herzgegend verspürte. Die Symptome glichen einer Magenverstimmung, aber Kellen war sich sicher, dass ihm ein Mittel gegen Sodbrennen nicht helfen würde. Sein Schicksal schien besiegelt zu sein. Eigentlich hatte er schon lange geahnt, dass es eines Tages passieren würde – er hatte nur nicht damit gerechnet, dass es ihn ausgerechnet jetzt treffen würde. Es kam ihm ungelegen und verursachte ihm leichte Schmerzen. Und er hatte keine Ahnung, wie er diesen Prozess umkehren sollte. Oder ob er das überhaupt wollte.

»Ich habe mir gedacht, ich sollte vorbeikommen, um dich nach Hause zu begleiten«, erklärte Kellen Cate. »Schließlich bin ich dein fester Freund. Und ich bin besitzergreifend. Daher möchte ich nicht, dass Pugg mir in die Quere kommt.«

»War er noch draußen?«, erkundigte sich Cate.

»Ja. Ich habe ihm gesagt, dass ich jetzt übernehme.«

»Und ist er dann gegangen?«

»Nein, aber er hat die Straßenseite gewechselt.«

Cate ging die Theke entlang und sah nach den wenigen Gästen, die noch in der Bar waren. Noch eine halbe Stunde bis Ladenschluss, und alle waren bereits kurz davor aufzubrechen. Sie spülte Gläser und räumte auf. Und dachte dabei über Kellen McBride nach. Sie gestand sich ein, dass er ihr gefiel. Sehr sogar. Und dass sie sich von ihm angezogen fühlte. Sehr sogar. Und dass sie das verwirrte. Sehr sogar.

»Er ist eine Nummer zu groß für mich«, stellte Cate fest.

Andy Shumaker riss sich von dem Spiel los, das gerade im Fernsehen übertragen wurde, und wandte ihr seine Aufmerksamkeit zu. »Wer?«

»Tut mir leid«, sagte Cate. »Ich habe mit mir selbst gesprochen und nicht bemerkt, dass ich den Satz laut gesagt habe.«

»Warum glaubst du, dass er eine Nummer zu groß für dich ist?«

»Er sieht einfach zu gut aus. Und er ist sehr charmant. Wahrscheinlich hatte er schon zig Freundinnen.«

»So ein Glückspilz«, meinte Andy. »Von wem sprechen wir?«

»Von dem Typen am Ende der Bar.«

»Der Kerl, der dich anstarrt?«

»Ja.«

Andy winkte Kellen mit dem Finger zu und hob sein Glas. Kellen erwiderte seinen Gruß und prostete ihm ebenfalls zu.

Andy war Mitte fünfzig und vor Kurzem zu Hause rausgeflogen. Seine Frau hatte bei den Scheidungsgründen angegeben, dass er »ständig summte und mit den Fingern auf den Tisch trommelte«. Um diese Angewohnheiten abzulegen, hatte Andy sich für größere Mengen Alkohol entschieden.

»Ich wette, er macht Peelings. Schält sich regelmäßig die Haut ab.«

Cate machte sich im Geist eine Notiz, ihm heute Abend kein Bier mehr auszuschenken, und warf einen verstohlenen Blick zu Kellen hinüber. »Du könntest Recht haben«, sagte sie zu Andy. »Er hat einen sehr schönen Teint.«

»Und sieh dir seine Augenbrauen an. Zwei Stück davon, und sie sind nicht einmal zottelig. Wahrscheinlich zupft er sie.« Andy kippte den Rest seines Biers. »Weißt du, was es bedeutet, wenn ein Mann seine Augenbrauen zupft?«

»Dass er wie ein Mensch aussehen möchte?«

»Es bedeutet, dass er schwul ist.«

»Bist du vielleicht ein wenig neidisch auf diesen gut gepflegten Mann?«, fragte Cate.

»Ich kann diese geschniegelten Typen nicht ausstehen«, erklärte Andy. »Sie halten sich alle für unwiderstehlich. Sieh dir nur an, wie seine Klamotten sitzen. Sie sehen aus wie maßgeschneidert. Und sein Hemd ist gebügelt. Und er hat Muskeln! Wahrscheinlich trainiert er regelmäßig.«

»Das könntest du auch tun«, meinte Cate.

»Wann?«

»Du könntest in ein Fitnesscenter gehen, anstatt hier zu sitzen und Bier zu trinken.«

Andy riss den Mund auf und starrte Cate entgeistert an. In seinen Augen spiegelte sich Entsetzen, während er ihren Vorschlag verdaute. Es dauerte etwas länger, denn Andy war heute nicht mehr schnell von Begriff.

Kellen winkte Cate mit einem gekrümmten Finger zu sich.

»Ich?«, formte Cate wortlos mit den Lippen.

Kellen lächelte und nickte.

Cate stellte Andy eine Soda hin. »Geht aufs Haus«, sagte sie, bevor sie zu Kellen hinüberging.

»Ihr habt über mich gesprochen«, stellte Kellen fest.

»Wir haben dein Hemd bewundert.«

»Das ist nur ein gewöhnliches weißes Hemd mit einem Button-down-Kragen«, meinte Kellen.

»Es ist gebügelt. Das hat Andy schwer beeindruckt.«

»Das ist auch gut so. Und was ist mit dir?«

»Was soll mit mir sein?«

Kellen grinste. »Bist du auch beeindruckt?«

»Sehr sogar«, erwiderte Cate. In Gedanken fügte sie hinzu, dass sie von dem, was sich unter seinem Hemd befand, wahrscheinlich noch stärker beeindruckt wäre.

Kapitel 6

Cate und Kellen traten aus der kühlen Bar in die heiße Nachtluft und entdeckten sofort Pugg, der ihnen von der anderen Straßenseite aus zuwinkte.

»Tut einfach so, als sei Pugg nicht hier«, rief er. »Pugg ist ein Phantom der Nacht, das über seine Angebetete wacht.«

»Pugg sollte endlich die Augen aufmachen«, erwiderte Kellen und nahm Cates Hand.

Cate warf einen Blick auf ihre Hand in seiner. Es fühlte sich gut an, aber sie war nicht sicher, was das zu bedeuten hatte.

»Spielst du wieder meinen Freund?«, fragte sie.

»Nein. Ich wollte einfach nur deine Hand halten. Ich glaube nicht, dass wir noch etwas vortäuschen müssen.«

Es hatte leicht zu nieseln begonnen, und der Gehsteig glitzerte im Licht der kugelförmigen Lampen über der Eingangstür des Evian's. Die Temperatur betrug um die 28 Grad, und der Himmel war schwarz und sternlos. Die wenigen Menschen auf der Straße hasteten mit gesenktem Kopf durch die schwüle, feuchte Luft, die ihnen die leichte Kleidung an die Haut klebte. Es war kurz nach elf Uhr, und nur noch wenige Autos waren unterwegs.

Pugg folgte ihnen immer noch auf der anderen Straßenseite, als sie Cates Wohnhaus erreichten.

»Pugg geht jetzt nach Hause«, rief er Cate zu. »Du kannst Pugg zu jeder Tages- und Nachtzeit anrufen, wenn du etwas brauchst. Eiscreme, Pizza, Schokoladenriegel, gebuttertes Popcorn, Burritos mit Rindfleisch oder einen Quickie am Morgen.«

Cate spürte, wie sich Kellens Griff um ihre Hand verstärkte.

»Ich werde ein Wörtchen mit ihm reden müssen«, erklärte er.

»Ignoriere ihn einfach. Er hat doch gesagt, dass er nach Hause geht.«

Kellen ließ Cates Hand los und machte sich daran, die Straße zu überqueren. »Ich werde ihn ignorieren, nachdem ich mit ihm gesprochen habe.«

»Nein!«, protestierte Cate. »Du wirst dir dein hübsches weißes Hemd blutig machen.«

»Ich werde vorsichtig sein.«

»Ich hasse diese Machoscheiße«, stieß Cate hervor. »Lauf los, Pugg!«, rief sie dann Patrick Pugg zu. »Lauf!«

»Huch!« Pugg begann zu rennen, bevor Kellen sich einen Weg durch den Verkehr bahnen konnte.

Kellen drehte sich zu Cate um. »Jetzt hast du mir den ganzen Spaß verdorben.«

»Du hattest vor, ihn zu verprügeln.«

»Nur wenn er sich nicht angehört hätte, was ich ihm zu sagen hatte.«

Und Kellen wusste genau, was er Pugg gesagt hätte. Eigentlich hatte er nichts gegen Pugg, aber der Kerl musste begreifen, dass es nicht akzeptabel war, so mit Cate zu reden. Kellen betrachtete Cate als sein Mädchen, das er gegen alle Übel dieser Welt verteidigen würde. Er würde den Drachen überwältigen und das Schloss stürmen. Na gut, wahrscheinlich würde er irgendwann auch die Hinterlassenschaften des Drachen beseitigen und den Müll aus dem Schloss bringen müssen, aber das waren schließlich auch keine Aufgaben für Feiglinge, oder?

»Meine Brüder haben ständig meine Freunde verprügelt«, erzählte Cate. »Es war furchtbar. Nach einer Weile wollte sich niemand mehr mit mir verabreden. Auf meine Abschlussfeier musste ich meinen Bruder Danny als Begleitung mitnehmen.«

»Aber Pugg ist nicht dein Freund.«

Cate schloss die Haustür auf, und sie gingen gemeinsam in den Flur.

»Beim nächsten Mal werde ich es zulassen, dass du dich mit ihm unterhältst, aber du musst mir versprechen, ihn nicht zu verprügeln.«

»In Ordnung. Darf ich ihn erschießen?«

Cate verdrehte die Augen und betrat den Fahrstuhl. Kellen folgte ihr.

»Du musst mich nicht zur Wohnungstür bringen«, erklärte Cate.

Kellen drückte auf den Knopf zum vierten Stockwerk. »Doch. Das gehört zu den Pflichten eines Freundes.«

»Du bist aber eigentlich nicht mein Freund«, entgegnete Cate.

Kellen stand dicht neben ihr. So nahe, dass sie seine Körperwärme spürte. Nahe genug, dass ihr ein Duft in die Nase stieg, der sehr maskulin und sexy war. Die Spur eines teuren Männerparfums oder Rasierwassers.

Kellen trat noch einen Schritt näher und berührte leicht ihren Mund mit seinen Lippen. »Ich könnte aber dein Freund sein«, flüsterte er.

»Hast du keine Angst vor meinen Brüdern?«

»Ich bin davon überzeugt, dass ich mich gegen sie behaupten kann.«

»Sie kämpfen mit unfairen Mitteln«, meinte Cate.

»Ich auch«, erwiderte Kellen und küsste sie wieder. Dieses Mal berührte er ihre Zunge mit seiner.

Cate überlief eine Hitzewelle vom Kopf über den Bauch und weiter nach unten. Als sich die Aufzugtür öffnete, war sie sich nicht sicher, ob sie weiter den Kuss genießen oder loslaufen und die Sicherheit ihrer Wohnung suchen sollte.

»Kannst du dich nicht entscheiden?«, fragte Kellen.

»Mit Patrick Pugg werde ich fertig. Was dich betrifft, bin ich mir nicht so sicher.«

Kellen legte den Arm um Cate und schob sie aus dem Aufzug und den Flur hinunter zu ihrer Wohnung. »Genau das ist es, was die Sache so interessant macht. Das Geheimnisvolle, die Spannung des Unbekannten, die Herausforderung der Jagd.«

»Bezüglich der Jagd mache ich mir keine Sorgen«, meinte Cate. »Allerdings fürchte ich mich vor dem Augenblick, in dem du mich erwischst.«

Kellen zog Cate an sich und küsste sie wieder, während er mit seinem Daumen ganz leicht über die Unterseite ihrer Brust strich.

»Vielleicht sollten wir diesen Moment rasch hinter uns bringen, damit du davor keine Angst mehr haben musst«, flüsterte er ihr ins Ohr.

»Klingt verlockend, aber dafür ist es zu spät. Bei dem bloßen Gedanken daran spüre ich eine Panikattacke in mir aufsteigen.«

Kellen grinste sie an. »Ich könnte dich vorher ein wenig betrunken machen, falls das helfen würde.«

»Ein hervorragender Vorschlag, den ich aber leider ablehnen muss.« Cate drehte sich zu ihrer Wohnungstür um und steckte den Schlüssel ins Schloss. »Ich habe mit den Schuldgefühlen und den Skrupeln einer irischen Katholikin zu kämpfen, daher brauche ich ein wenig Zeit.« Außerdem deinen kompletten Lebenslauf und dein ärztliches Gesundheitszeugnis, fügte Cate in Gedanken hinzu.

Die Hand immer noch am Schlüssel, zögerte sie einen Moment. »Das ist merkwürdig. Die Tür war unverschlossen. Und ich weiß genau, dass ich sie abgesperrt habe.«

»Vielleicht ist Marty nach Hause gekommen.«

»Marty achtet peinlich genau darauf, die Tür abzuschließen. Vor allem, wenn er sich in der Wohnung befindet.«

»Lass mich hineingehen. Ich werde mich umsehen, während du im Flur wartest.«

Kellen betrat die Wohnung und knipste das Licht an. Cate folgte ihm und spähte über seine Schulter.

»Ich habe dich doch gebeten, im Flur zu warten«, schalt Kellen.

»Das hat mir nicht gefallen.«

Kellen sah sich aufmerksam um. »Jemand war hier und hat nach irgendetwas gesucht. Wie gefällt dir das?«

»Bist du sicher? Für mich sieht alles ganz normal aus.«

»Das Sofa wurde weggerückt. Dort, wo die Couch nicht wieder genau an die alte Stelle geschoben wurde, sind Abdrücke zu sehen. Hast du das Sofa verschoben?«

»Nein.«

»Die Schublade des Schränkchens ist nicht ganz geschlossen. Und einer der Drucke von Warhol hängt schief.«

Nachdem Kellen den Riegel an der Wohnungstür vorgeschoben hatte, ging er durch die anderen Räume der Wohnung.

Das große Badezimmer hob er sich bis zum Schluss auf. Er öffnete vorsichtig die Tür einen Spalt und spähte hinein.

»Biest ist noch da. Er sieht verschlafen aus. Ich glaube, er ist kein Nachtschwärmer«, meinte Kellen.

»Das macht mir richtig Angst«, gestand Cate. »Irgendjemand hat in der Schublade mit meiner Unterwäsche

72

gewühlt und meine Kosmetika durchstöbert. Und ebenso Martys Unterwäsche und Kosmetikartikel. Ih!«

»In dieser Wohnung befinden sich viele wertvolle Gegenstände, die man leicht hätte stehlen können«, stellte Kellen fest. »Computer, elektronische Geräte, Kunstdrucke, Martys Schmuckstücke – obwohl ich glaube, dass Martys Schmuck nicht echt ist. Und trotzdem wurde nichts gestohlen, soweit wir das beurteilen können.«

»Ich nehme an, du hast solche Einbrüche während deiner Zeit als Polizist untersucht«, meinte Cate.

»Ich war nicht mit Einbrüchen beschäftigt, aber ich kenne die Routine. Da anscheinend nichts fehlt, ist hier offenbar jemand eingedrungen, der etwas Bestimmtes suchte. Entweder hat er es nicht gefunden, oder es befand sich hier, ohne dass du etwas davon gewusst hast.«

»Nur gut, dass ich Biest eingesperrt habe, sonst hätten die Einbrecher ihm womöglich wehgetan.«

»Schätzchen, angeblich ist er ein Wachhund. Deshalb hat Marty ihn gekauft. Schon vergessen?«

Biest winselte und kratzte an der Badezimmertür.

»Ich würde ihn gern herauslassen«, meinte Cate. »Aber ich befürchte, er könnte die Spuren am Tatort verwischen.«

»Um den Tatort müssen wir uns keine Sorgen machen«, beruhigte Kellen sie. »Kein Blut. Keine Leichen am Boden. Keine hasserfüllten Graffiti. Und es wurde nichts gestohlen. Wenn du bei der Polizei Anzeige erstatten möchtest, wäre es klüger zu warten, bis Marty feststellen kann, ob etwas verschwunden ist. Jetzt wird die Polizei wohl kaum kommen, um nach Fingerabdrücken zu suchen.«

Kellen öffnete die Badezimmertür, und Biest stürmte heraus und hüpfte wie ein Hase umher. Kellen zog einen Hundekeks aus der Tasche und hielt ihn dem Hund hin. Biest ließ sich die Leckerei schmecken und lehnte sich begeistert an Kellens Bein.

»Ich habe den Eindruck, dass der Einbrecher etwas gesucht hat, wovon Marty leugnet, es zu besitzen«, erklärte Kellen.

»Was soll das heißen?«

Kellen zuckte die Schultern. »Nur so eine Ahnung. Die Anrufe, Martys plötzliche Abreise nach Aruba, ein Wachhund, der geliefert wird, der Einbruch. Es hat den Anschein, als würde hier irgendetwas Dubioses vor sich gehen.«

»Ich verstehe, was du meinst. Allerdings kam mir Marty nie dubios vor.«

Kellen betrachtete Cates Gesicht. Es wirkte wie aus Porzellan – bis auf die kleine Falte, die sich nun zwischen ihren Augen bildete. Sie machte sich Sorgen um Marty; mehr als um sich selbst.

»Vielleicht läuft hier irgendetwas wirklich Schlimmes ab, und du brauchst mehr Schutz, als dieser Hund dir bieten kann. Möglicherweise sollte ein ehemaliger Polizist diese Nacht bei dir bleiben«, bemerkte Kellen.

»Netter Versuch«, erwiderte Cate. »Ich weiß dein Angebot zu schätzen, aber es wird Zeit, dass du gehst. Ich gebe heute Abend hier eine Party.«

»Und ich bin nicht dazu eingeladen?«

»Es ist eine Party nur für Mädchen.«

In diesem Moment klopfte es laut an der Tür, und Cate ließ Sharon und Julie in die Wohnung. Biest rannte sofort los, stieß Julie um und setzte sich auf sie.

»Ich schwöre euch, dieser Hund liebt mich«, keuchte Julie. »Ich hatte einmal einen Freund, der genau das auch ständig machte. Sein Name war Euclid. Könnt ihr euch das vorstellen? Was zum Teufel ist Euclid für ein Name? Aber ich kann euch sagen, der Kerl konnte herrlich schmusen, und er hatte ebenso nette große Pfoten wie Biest.«

Als Kellen Julie auf die Beine half, riss sie die Augen auf.

»Du bist das!«, rief sie und starrte Kellen verblüfft an. »Du bist der Typ zum Anbeißen.«

Kellen warf Cate einen Blick zu und hob fragend die Augenbrauen. »Was?«, fragte er lautlos.

»Julie hat uns heute Nachmittag gesehen, als wir mit Biest spazieren waren«, erklärte Cate. »Und sie nennt jeden Mann so.«

»Ich habe mir die Menschen angeschaut«, fügte Julie hinzu. »Und betrachtet, wie die Welt sich dreht.«

Sharon stand neben ihnen und hielt in jeder Hand eine Flasche Champagner. »Bist du neu in diesem Stadtviertel?«, erkundigte sie sich bei Kellen. »Brauchst du einen Makler?«

»Ja und nein«, antwortete Kellen.

»Also gut«, schaltete Cate sich ein und wandte sich an Kellen. »Ich weiß, dass du noch viel vorhast und jetzt gehen musst.«

»Bist du jetzt Cates Freund?«, wollte Julie von Kellen wissen.

»Ich versuche es zumindest«, erwiderte Kellen.

Sharon musterte ihn abschätzend. »Ich hoffe, du hast nur gute Absichten.«

»Genau«, warf Julie ein. »Was sind deine Absichten?«

»Ich dachte daran, Cate zum Abendessen auszuführen«, erklärte Kellen.

»Er fackelt nicht lange, das muss man ihm lassen«, meinte Julie.

»Wann?«, fragte Sharon.

»Morgen.« Kellen lächelte und sah Cate an.

»Morgen habe ich bereits eine Verabredung«, erwiderte Cate.

»Welche Verabredung?«, wollte Julie wissen.

»Ich esse bei meinen Eltern zu Abend«, erklärte Cate.

»Oh, Schätzchen, morgen ist dein freier Tag. Du wirst ihn doch wohl nicht beim Abendessen mit deiner Mama verschwenden wollen.«

»Ich habe es bereits versprochen«, sagte Cate. »Es geht um einen besonderen Anlass.«

»Dienstag ist ein besonderer Anlass für deine Familie?«, fragte Sharon. »Noch nie habe ich eine Familie so oft feiern sehen.«

»Du könntest den Typen zum Anbeißen mitnehmen«, schlug Julie vor.

Cates Herzschlag setzte für eine Sekunde aus. »Auf keinen Fall!«

»Das klingt gut«, meinte Kellen. »Wann soll ich dich abholen?«

»Nein, nein, nein, nein, nein«, sträubte sich Cate. »Das klingt überhaupt nicht gut. Die spanische Inquisition wäre ein Kinderspiel dagegen.«

»Deine Mum wäre begeistert von ihm«, sagte Julie. »Wann hast du zum letzten Mal einen Freund mitgebracht? Ich wette, das war vor einer Ewigkeit. Mütter lieben das. Sie laufen dann meistens sofort los, kaufen sich im Supermarkt einen Stapel Brautmagazine und sehen sich Brautkleider an.«

»Julies Idee ist vielleicht gar nicht schlecht«, meinte Sharon. »Wenn deine Mutter glaubt, dass du jetzt einen Freund hast, hört sie sicher damit auf, dich ständig mit irgendwelchen grässlichen Typen zu verkuppeln.«

Das ließ Cate aufhorchen. Sie biss sich auf die Unterlippe und musterte Kellen verstohlen. Ihrer Mutter würde er gefallen. Er war groß und irisch. Und da er als Polizist gearbeitet hatte, kam er sicher gut mit lauten, verrückten Leuten wie ihren Familienmitgliedern zurecht. Das Problem bestand darin, dass sie ihn auf eine gewisse Art mochte und befürchtete, dass er nach einem Essen bei den Madigans das Weite suchen und sich nie wieder blicken lassen würde.

Julie und Sharon hatten beide die Hände in die Hüften gestemmt und warteten darauf, dass Cate eine Entscheidung traf. Kellen wippte auf seinen Fersen auf und ab, steckte die Hände in die Taschen und lächelte.

»Ein intelligenter Mann würde in dieser Situation nicht lächeln«, sagte Cate zu Kellen.

»Ich bin der Meinung, dass ich nichts zu verlieren habe. Wenn deine Familie nett zu mir ist, habe ich einen Fuß in der Tür. Falls das Abendessen ein Desaster wird, kann ich mich vielleicht für einen Schlagabtausch qualifizieren.«

»Du klingst allmählich wie Pugg«, stellte Cate fest.

»Auf einer bestimmten Ebene sind alle Männer gleich«, meinte Julie. »Wenn du die Wahl hast, solltest du mit demjenigen ausgehen, der heißer aussieht.«

»Also gut«, stimmte Cate zu. »Das Abendessen ist um sechs Uhr in Brookline.«

»Ich werde dich um halb sechs abholen«, sagte Kellen. »Soll ich mit Biest noch einmal Gassi gehen, bevor ich mich für heute verabschiede?«

Alle wandten sich Biest zu. Er lag ausgestreckt auf der schwarzen Ledercouch und war fest eingeschlafen.

»Danke, aber ich glaube, er hat genug für heute«, erwiderte Cate.

Kapitel 7

In Gedanken versunken verstrich Cate mit einem Spatel die Glasur auf der Oberfläche des Kuchens und verzierte sie mit kreisförmigen Bewegungen. Es war ein Gewürzkuchen mit Mokkaglasur, und dieses Mal hatte sie den Teig selbst angerührt. Es war später Vormittag, und Cate dachte über ihre Gefühle für Kellen McBride nach. Mochte sie ihn? Ja. Vertraute sie ihm? Nicht ganz. War er ein heißer Typ? Absolut.

Sie hatte Sharon und Julie nichts von dem Einbruch erzählt. Und sie hatte auch keine Anzeige bei der Polizei erstattet. Warum auch? Je mehr sie darüber nachdachte, umso größer wurden ihre Zweifel, ob das wirklich passiert war. Okay, die Tür war unverschlossen gewesen, aber vielleicht hatte sie versäumt, sie abzusperren. Und das Sofa stand nicht in den üblichen Abdrücken. Allerdings hatte sie seit Tagen nicht gesaugt. Möglicherweise war die Couch bereits vor Tagen verschoben worden, und sie hatte es nur nicht bemerkt. Anscheinend war nichts gestohlen worden, und die Wohnung war auch nicht verwüstet worden. Sie gestand sich ein, dass sie, wäre Kellen nicht gewesen, außer der unverschlossenen Tür nichts Ungewöhnliches bemerkt hätte.

»Was glaubst du?«, fragte sie Biest. »Denkst du, dass hier jemand eingebrochen ist?«

Biest wedelte mit dem Schwanz und hechelte. Er wollte etwas von dem Kuchen haben.

»Weißt du, ich habe mich hier immer sicher gefühlt«, erklärte Cate Biest. »Mir ist bewusst, dass Marty einen etwas ungewöhnlichen Beruf hat, aber er ist ein zuverlässiger Mensch. Ich kann mir nicht vorstellen, dass er in zwielichtige Geschäfte verwickelt ist.« Cate streute bunte Streusel auf den Kuchen und verzierte ihn mit einer gelben Schleife aus Zuckerguss. »Ich habe das Gefühl, dass es eine ganz einfache Erklärung für die merkwürdigen Anrufe für Marty und den plötzlichen Kauf eines Wachhunds gibt.« Cate tätschelte Biest den Kopf. »Ich muss zugeben, dass ich nicht begeistert war, als du hier aufgetaucht bist, aber ich mag dich sehr. Mit dir wirkt die Wohnung gemütlicher. Und du hast dich heute bei unserem Spaziergang brav benommen. Du hast lediglich eine alte Dame umgeschubst.«

Es klingelte an der Tür, und Biest folgte Cate aus der Küche. Als Cate einen Blick durch den Türspion warf, verzog sie das Gesicht. Kitty Bergman.

»Nun?«, fragte Kitty, als Cate ihr die Tür öffnete.

»Was nun?«

»Hast du etwas von ihm gehört?«

»Von Marty? Nein.«

»Wie ich sehe, hast du immer noch diesen Hund bei dir.«

Biest zog den Schwanz ein und rannte ins Schlafzimmer.

»Er ist schüchtern«, erklärte Cate. »Und sehr sensibel.«

Kitty Bergman hatte sich an ihr vorbei ins Wohnzimmer gedrängt und sah sich um.

»Marty ist nicht hier«, sagte Cate.

»Ich will mich nur vergewissern.« Kitty marschierte in die Küche. »Für wen ist der Kuchen?«

»Für meine Familie.«

»Eine Party heute Abend?«

»Abendessen im Haus meiner Eltern.«

»Aha«, sagte Kitty Bergman, und es klang so, als würde sie das nicht glauben. Oder vielleicht interessierte es sie nicht. Oder sie hatte ein Laktoseproblem, und ihr Hals war verschleimt.

Ohne um Erlaubnis zu bitten, ging Kitty Bergman von der Küche zu Cates Schlafzimmer. Als sie einen Blick hineinwarf, stieß Biest ein klägliches Bellen aus. Er galoppierte los, rannte die Bergman um, so dass sie auf ihrem Hintern landete, und sprang über ihren auf dem Boden ausgestreckten Körper.

»Was zum Teufel war das?«, kreischte Kitty Bergman.

»Das war Biest. Ich glaube, Sie haben ihn erschreckt.«

Die Bergman in ihrem weißen Chanel-Kostüm und ihren Sandalen von Manolo Blahnik mühte sich auf allen vieren ab, wieder auf die Füße zu kommen. »Dieser Hund ist eine Bestie. Eine Bedrohung für alle anständigen Menschen. Was fällt dir ein, ein solch gefährliches Vieh zu halten?«

»Er ist noch ein Welpe«, erklärte Cate.

»Er ist eine drohende Gefahr. Wo ist er jetzt?«

»In Martys Schlafzimmer.«

»Bist du sicher, dass er nicht Marty bewacht?«

»Sehen Sie selbst nach«, forderte Cate sie auf.

Kitty Bergman kniff die Augen zusammen und hastete zu Martys Zimmer. Sie sah hinein und starrte Biest an. Der Hund versuchte, sich unter dem Bett zu verkriechen, aber er passte nicht ganz darunter.

»Ha!«, stieß Kitty Bergman hervor und machte sich wütend auf den Weg zur Wohnungstür. »Ich komme wieder«, erklärte sie Cate. Und dann zog sie ab.

»Wie schön für mich«, murmelte Cate.

Dann holte sie einen Hundekeks aus der Küche und lockte damit Biest aus Martys Schlafzimmer. Nachdem sie ihm den Keks gegeben hatte, setzte sie ihn vor den Fernseher und suchte einen Zeichentrickfilm für ihn.

»Beruhig dich«, sagte Cate zu Biest. »Wenn ich mit dem Kuchen fertig bin, machen wir einen Spaziergang.«

Julie beugte sich aus dem offenen Fenster.

»Kommt nach eurem Spaziergang in meine Wohnung. Ich habe ein Päckchen für dich!«, rief sie Cate zu.

Cate folgte Biest in das Gebäude und betrat den Aufzug. Im dritten Stockwerk stiegen sie aus, und Biest trottete den Flur entlang bis zu Julies geöffneter Wohnungstür.

»Ich war zufällig gerade in der Lobby, als die Kurierfahrerin kam«, berichtete Julie. »Und jemand musste den Empfang quittieren. Das Päckchen ist von Marty und kommt aus Puerto Rico! Kannst du dir das vorstellen? Ich wette, darin befindet sich irgendetwas Exotisches.«

»Aber Marty ist angeblich auf Aruba.«

»Anscheinend ist er weitergereist. Schnell, mach es auf«, drängte Julie sie. »Ich kann es kaum erwarten zu sehen, was sich darin befindet. Ich habe noch nie ein Päckchen von einem so weit entfernten Ort wie Puerto Rico bekommen. Meine Tante Jane hat mir einmal Schokolade aus Los Angeles geschickt, aber unsere Katze Annie May war gerade rollig, und so ist ihr auf der Schachtel ein kleines Missgeschick passiert. Deshalb konnten wir nichts von der Schokolade essen.«

»Ich öffne nie Martys Post«, erklärte Cate. »Normalerweise lege ich alles in sein Schlafzimmer, so dass er es findet, wenn er nach Hause kommt.«

»Ja, aber dieses Päckchen ist an dich adressiert, Schätzchen.«

Cate sah sich den Karton genauer an. Er trug einen Aufkleber mit der Aufschrift ZERBRECHLICH und war an Cate Madigan adressiert. »Marty hat mir noch nie etwas geschickt«, sagte Cate. »Das kommt mir komisch vor.«

»Mach es einfach auf, um Himmels willen!«

Cate riss das Packpapier auf und öffnete die Schachtel. Außer einer Menge Styroporflocken fand sie ein Kuvert mit ihrem Namen darauf und einen großen, in Luftpolsterfolie gewickelten Gegenstand.

»Was steht in dem Brief?«, wollte Julie wissen.

Cate las ihn laut vor. »Das ist für meinen Liebling Biest. Es ist ein ganz besonderer, einzigartiger Wassernapf für einen ganz besonderen Hund. Umarme und kraule ihn an meiner Stelle und gib ihm jeden Tag frisches Wasser. Sag ihm, dass sein Herrchen bald wieder nach Hause kommen wird. Liebe Grüße, Marty.«

»Ist das nicht süß?«, schwärmte Julie. »Wer hätte gedacht, dass Marty ein so großer Tierfreund ist?«

»Das kann ich kaum fassen.« Cate riss die Folie auf und zog einen riesigen, emaillierten, saphirblauen Hundenapf hervor, auf dem in großen, funkelnden Buchstaben »Biest« aufgedruckt war.

»Der Napf ist wunderschön«, sagte Julie begeistert. »Und er passt hervorragend in Martys Küche. Das ist die perfekte Farbe – sie passt genau zu den kleinen Fliesen am Boden. Ist es nicht typisch für Marty, dass er einen Hundenapf aussucht, der farblich auf seine Einrichtung abgestimmt ist?«

»Ich kann es kaum glauben, dass er sich in Puerto Rico befindet.«

»Ist das nicht aufregend?«, meinte Julie.

In Cates Augen war das alles eher beunruhigend als aufregend. Sie war nicht davon begeistert, dass Marty durch die Weltgeschichte reiste, während sie sich mit der wütenden Kitty Bergman herumplagen musste.

»Vielen Dank, dass du für mich unterschrieben hast«, sagte Cate zu Julie.

»Ich werde die Schüssel mit nach oben nehmen, sie auswaschen und mit Wasser für Biest füllen.«

Zehn Minuten später stellte Cate den Hundenapf auf den gefliesten Boden. »Ich muss zugeben, dass der Napf sehr hübsch ist«, sagte sie zu Biest. »Er passt sehr gut zu Martys Küche.«

Biest schlabberte die halbe Schüssel leer und trollte sich dann, um ein Nickerchen zu halten. Cate warf einen Blick auf den Kuchen auf dem Küchentresen und seufzte. Danny würde wieder Vater werden. Ihr Bruder Matt in Atlanta hatte bereits drei Kinder. Und ihr Bruder Tom in New Jersey hatte zwei. Und nun kam das dritte Kind von Danny und Amy.

Nur Cate hatte noch keinen Nachwuchs vorzuweisen.

»Aber ich bin die Jüngste«, sagte Cate. »Und ich bin ehrgeizig und habe bestimmte Ziele.« Dann verdrehte sie die Augen. Jetzt sprach sie schon wieder mit sich selbst. Und sie vermied das eigentliche Thema. Der entscheidende Faktor war der Ritter auf dem Rappen. Der Held in ihrem Leben. »Okay«, sagte sie zu sich selbst, »ich weiß, dass meine Erwartungen unrealistisch sind. Selbst wenn ein Held auf einem schwarzen Pferd vor meinem Haus auftauchen würde, wie würden dann wohl meine Chancen stehen, dass er sich für mich interessiert? Und, was noch schlimmer ist, wie würden wohl die Chancen stehen, dass er mich interessiert? Angenommen, Kellen McBride wäre ein solcher Held? Diese Möglichkeit besteht zumindest, oder? Er ist sexy und attraktiv und küsst großartig. Er scheint intelligent zu sein. Als ehemaliger Polizist besitzt er sicher auch eine gewisse Portion Mut. Und insgeheim schwärme ich auch wohl irgendwie für ihn. Wenn er mich berührt, spüre ich Schmetterlinge im Bauch. Also warum vertrödele ich die Zeit?« Cate schloss die Augen und schlug mit der Stirn leicht gegen die Wand. *Bum-bum-bum.* »Dumm, dumm, dumm«, sagte sie laut. »Ich habe keinen Mumm. Wenn es um den Ritter auf dem Rappen geht, bin ich ein Riesenfeigling.«

Cate wollte gerade ihren Kopf noch einmal gegen die Wand schlagen, als das Telefon klingelte.

»Ich bin's«, meldete sich Sharon. »Ich stehe vor 2B, und irgendjemand läuft dort drin auf und ab. Wenn ich mein Ohr an die Tür lege, kann ich ihn hören.«

»Woher willst du wissen, dass es sich um einen Mann handelt?«

»Das kann ich fühlen. Julie ist bei mir, und wir waren uns sicher, dass du es nicht versäumen willst, ihn herauskommen zu sehen.«

»Das kann aber doch noch Stunden dauern.«

»Dann werde ich eben an seine Tür klopfen und ihm sagen, dass...«

»Was willst du ihm sagen?«

»Ich weiß es nicht. Irgendetwas wird mir schon einfallen.«

»Du hast zu viel Freizeit. Vielleicht brauchst du ein Hobby wie Orchideenzucht oder Holzschnitzerei.«

»Also gut, ich bin neugierig. Sag bloß, dieser Typ hat nicht auch dein Interesse geweckt. Du kannst es doch auch kaum erwarten, einen Blick auf ihn zu werfen, oder?«

»Na ja, einen Blick vielleicht. Glaubst du tatsächlich, dass er demnächst seine Wohnung verlassen wird?«

»Ja!«

»Ich bin gleich unten.«

Sharon und Julie saßen mit dem Rücken an die Wand von 2B gelehnt, als Cate aus dem Aufzug kam.

»Ich habe ihn doch nicht etwa verpasst, oder?«, erkundigte Cate sich.

»Nein. Er ist immer noch dort drin«, antwortete Sharon. »Komm hierher an die Wand, damit er dich durch den Türspion nicht sehen kann.«

»Vielleicht ist er ein Geist«, meinte Julie. »Eine umherirrende Seele. Deshalb können wir ihn nicht sehen, wenn er seine Wohnung verlässt. Er verschwindet möglicherweise in Form von dunstigen Schwaden durch den Spalt unter der Tür. Meine Cousine Charlene wohnte einmal in einem Haus, in dem es spukte. Sie erzählte mir, dass man dort Stimmen hörte und seltsame Dinge geschahen. Manchmal verschwanden Gegenstände. Meine Mum war der Meinung, dass Charlenes Mann Dale die Sachen klaute und sie dann verhökerte, damit er zum Hunderennen gehen konnte, aber so genau wusste das niemand.«

Sharon beugte sich vor. »Psst! Ich glaube, er steht hinter der Tür.«

Als hätten sie sich vorher abgesprochen, sprangen alle gleichzeitig auf die Füße und drückten sich mit dem Rücken gegen die Wand. Der Türknauf bewegte sich, und Cate hielt den Atem an.

»Jetzt werden wir Zeuginnen eines Zeitgeschehens«, flüsterte Julie.

Die Tür ging auf, und ein übergewichtiger Mann in einem Overall kam aus der Wohnung und zog die Tür hinter sich ins Schloss.

Sharon griff sich mit der Hand an die Kehle. »Entschuldigen Sie, Sir«, sagte sie. »Sind Sie der Mieter von 2B?«

Der Mann warf einen Blick auf die Wohnung, die er soeben verlassen hatte. »Ich?« Er rückte seine Kappe zurecht und schüttelte den Kopf. »Nein, ich bin Klempner und habe die Toilette repariert. Da gab es ein Problem mit dem Schwimmerventil.«

»Ist der Mieter zu Hause?«

»Nein, aber die Wohnung ist wirklich hübsch. Der Typ hat eine verdammt gute Stereoanlage dort drin. Und auch eine tolle Musiksammlung.« Er nickte ihnen zu, bevor er sich auf den Weg zum Lift machte. »Einen schönen Tag noch.«

Sharon wollte ihm hinterherlaufen, aber Cate hielt sie am Zipfel ihrer Bluse fest. »Jetzt reicht es, du Stalkerin«, mahnte sie.

»Aber ich wollte ihm nur noch ein paar Fragen stellen.«

»Das ist eine dicke Lüge. Du wolltest ihn in einen rundherum isolierten Raum einsperren, ihm die Augen verbinden und ihn dazu zwingen, dir alles aufzuzählen, woran er sich von seinem Aufenthalt in 2B erinnert.«

»Ja, das stimmt«, gestand Sharon. »Ich hätte ihn gefoltert, wenn er sich nicht kooperativ gezeigt hätte.«

»Das war enttäuschend«, stellte Julie fest. »Ich habe einen Gangster oder eine Art Einsiedler erwartet. Tja, dann gehe ich eben wieder nach oben und schaue aus dem Fenster. Vielleicht entdecke ich 2B, wenn er das Haus betritt.«

»Hast du gestern Abend zufällig einen Fremden in das Haus kommen sehen?«, fragte Cate.

»Nein, gestern Abend hatte ich Dienst im Party-Trolley. Und nach Einbruch der Dunkelheit sitze ich ohnehin nie am offenen Fenster. Allerdings habe ich heute Morgen einen merkwürdigen kleinen Mann gesehen. Er stand auf dem Bordstein und beobachtete unser Haus. Der Kerl war ziemlich behaart, trug Koteletten und eine in die Stirn gezupfte Locke wie eine dieser Kewpie-Puppen.«

»Hast du mit ihm gesprochen?«, wollte Cate wissen.

»Ich habe ihn gefragt, ob er eine Kewpie-Puppe sei, und er sagte, nein, er sei ein Pugg. Ich habe keine Ahnung, was zum Teufel er damit meinte.«

»Das ist sein Name«, erklärte Cate. »Er ist ein Freund meiner Mutter.«

»Er ist irgendwie niedlich«, meinte Julie. »Wie ein Pelztier aus dem Wald. Und er ist nicht sehr groß. Ich habe die Erfahrung gemacht, dass kleine Männer mit einem kleinen Piephahn außerordentlich gute Liebhaber sind. Sie müssen sich mehr Mühe geben als die großen Kerle.«

»Er ist ein wenig verrückt«, sagte Cate.

»Apropos verrückt: Kitty Bergman hat heute Morgen auch das Haus betreten und wie immer Weltuntergangsstimmung verbreitet«, berichtete Julie. »Sie ist sehr oft hier. Sie kommt in das Gebäude, ohne bei jemandem zu klingeln und sich die Haustür öffnen zu lassen. Wie kann das sein?«

»Ihr gehören Immobilien hier«, erklärte Sharon. »Zwei Mietwohnungen im ersten Stock und eine im zweiten.«

Kapitel 8

Cate starrte mit offenem Mund auf das Auto vor ihr.

»Was ist los?«, fragte Kellen. »Stimmt etwas nicht?«

»Das ist dein Wagen?«

»Ja, ein Schmuckstück, nicht wahr? Es ist ein 65er Mustang, wie das Original schwarz lackiert. Der Wagen hat Stahlfelgen und einen massiven K-Code-Motorblock. Und Biest kann unbesorgt auf den Rücksitz springen. Das Leder ist so gut wie unzerstörbar.«

Das war ein Zeichen Gottes, dachte Cate. Kellen McBride ritt ein schwarzes Pferd.

»Das ist ein tolles Auto«, sagte sie.

Kellen lächelte. »Ich habe ihn als Bonus für einen Job im letzten Jahr bekommen.«

Er öffnete die Tür, und Biest sprang auf den Rücksitz und ließ sich dort nieder. Cate schlüpfte auf den Beifahrersitz und knackte mit den Fingerknöcheln.

»Möchtest du mir von dem Job erzählen?«, fragte sie.

»Nein.«

Na prima, dachte Cate. Ein schwarzes Pferd, ein sexy Lächeln, eine heiße Figur, verträumte Augen, und wahrscheinlich war er ein Killer der Mafia.

»War es etwas Illegales?«, wollte sie wissen.

»Nein.«

»Hatte es etwas mit Drogen zu tun?«

»Nein.«

»Dann ist es ja gut.«

Kellen blieb an einer roten Ampel stehen und warf ihr einen raschen Blick zu. »Machst du dir etwa Sorgen um mich?«

»Nicht mehr.«

Er streckte den Arm aus und griff nach ihrer Hand. »Gut.«

»Vielleicht ein wenig.«

Kellen stieß einen Seufzer aus. »Ich bin ein Wiederbeschaffungsexperte.«

»Was zum Teufel ist das?«

»Ich hole verlorenes Eigentum zurück.«

»Also ein Schuldeneintreiber.«

Kellen lachte laut auf. »So habe ich das noch nie gesehen, aber ich denke, man könnte es so nennen.« Er zog ihre Hand an die Lippen und drückte einen Kuss darauf. »Machst du dir immer noch Sorgen?«

Cate presste ihre Oberschenkel zusammen, auf denen sie den Kuchen balancierte. »Nein. Ja.«

»Wegen meines Jobs?«, fragte Kellen.

»Das auch«, erwiderte Cate. »Du gehörst aber nicht zu diesen Typen, die ständig irgendwelchen Leuten die Knie brechen, oder?«

»Nein, Knie breche ich höchst selten.«

»Da bin ich erleichtert.«

Sie befanden sich jetzt in einer Gegend mit robust gebauten, bescheidenen Häusern auf kleinen Grundstücken. Es gab keine Garagen, also musste man auf der Straße parken. Einen Block weiter befand sich eine Straße mit vielen kleinen Geschäften, wo sich auch der Laden der Madigans befand.

»Meine Eltern wohnen in dem cremefarbenen Haus mit der grünen Tür«, erklärte Cate. »Auf der Straße werden wir keinen Parkplatz finden, aber wir können den Wagen hinter dem Haus abstellen. Ein befahrbarer Weg führt dorthin.«

Kellen fuhr hinter das Haus, parkte den Mustang und griff nach Biests Leine.

»Bist du nervös?«, erkundigte sich Cate.

»Weil ich deine Eltern kennenlernen werde? Nein.«

»Wärst du einigermaßen bei Verstand, würdest du vor Angst zittern«, meinte sie. »Das wird kein Zuckerschlecken.«

»Hast du deshalb Biest mitgenommen? Um mich von diesem Druck zu befreien?«

»Nein, ich habe ihn mitgenommen, weil mein Bruder Danny grün vor Neid werden wird. Er wollte schon immer einen so coolen Hund wie diesen haben.«

Cates Mutter stand am Hintereingang und hielt ihnen die Tür auf.

»Das ist Biest«, stellte Cate den Hund ihrer Mutter vor. »Und das ist Kellen.«

»Meine Güte!«, rief Cates Mutter. »Ich habe einen kleinen Hund erwartet, und ich dachte, dass du geschummelt hättest, als du sagtest, du würdest einen Freund mitbringen.«

»Ich bringe den Kuchen in die Küche«, verkündete Cate. »Jetzt bist du auf dich gestellt«, sagte sie dann zu Kellen. »Ab hier muss jeder selbst zusehen, wie er zurechtkommt.«

Danny stand in der Küche. Er begrüßte Cate mit einer Umarmung und reichte ihr eine Flasche Bier. Dann musterte er Kellen und den Hund von oben bis unten.

»Über den Kerl, den du mitgebracht hast, kann ich noch nichts sagen«, meinte Danny. »Aber der Hund ist großartig.«

Kellen streckte die Hand aus. »Kellen McBride.«

»Das soll wohl ein Witz sein, oder?«, sagte Danny, während er Kellen die Hand schüttelte. »Den Namen hast du erfunden, stimmt's? Nur Kobolde heißen Kellen McBride.«

»Benimm dich, oder du bekommst keinen Kuchen«, schalt Cates Mum.

Zoe und Zelda kamen hereingestürmt und stürzten sich auf Cate. Sie bückte sich, umarmte die beiden und stellte ihnen Kellen vor.

»Mommy und Daddy schlafen in einem Bett«, erklärte Zoe Kellen. »Schläfst du mit Tante Cate in einem Bett?«

»Noch nicht«, antwortete Kellen.

»Leute schlafen erst miteinander in einem Bett, wenn sie verheiratet sind«, erklärte Danny den Mädchen.

»Wirst du Tante Cate heiraten?«, wollte Zoe von Kellen wissen.

»Vielleicht.« Kellen schenkte Cate ein Lächeln, bei dem sich hübsche Fältchen in seinen Augenwinkeln abzeichneten.

Danny sah von Kellen zu Cate. »Schwarzes Pferd oder weißes Pferd?«, fragte er Cate.

»Schwarz. Mustang. 1965«, erwiderte Cate.

Danny trank einen Schluck Bier. »Aha«, sagte er und wirkte nicht ganz glücklich dabei.

Biest hatte sich hechelnd neben Cate gestellt und betrachtete mit glänzenden Augen Zoe und Zelda.

»Das ist Biest«, erklärte Cate den Mädchen. »Er ist ein Bullmastiff.«

»Er ist groß«, stellte Zelda fest. »Und er hat Spucke am Maul.«

»Das passiert, wenn er nervös ist«, sagte Cate. »Er ist sehr sensibel.«

»Warum ist er nervös?«

»Hier ist alles neu für ihn. Ich glaube, dass er aufgeregt ist, weil er dich und Zoe kennenlernen mochte.«

Zelda drückte ihre Nase an Biests Schnauze und sah ihm in die Augen. »Du musst nicht nervös sein, Hundchen. Ich werde mich um dich kümmern. Du kannst mit mir fernsehen.«

»Er mag Cartoons«, erklärte Cate. »Und Naturfilme. Vor Löwen hat er allerdings Angst.«

Zelda griff nach Biests Halsband und führte ihn ins

Wohnzimmer. »Ich wette, du magst es nicht, wenn die Löwen brüllen, weil das so laut ist«, sagte sie zu Biest. »Und außerdem haben Löwen furchtbar große Zähne.«

»Kommst du aus einer großen Familie?«, fragte Cate Kellen.

»Ich habe vier ältere Schwestern. Und meine Großmutter wohnte bei uns.«

»Verhielten sie sich dir gegenüber überfürsorglich?«

»Nein, aber einige Jahre benutzte ich das Badezimmer unserer Nachbarn. In unserem Haus befand sich nur ein Bad, und das war pausenlos besetzt.«

Kellen sah sich um und war sich sicher, dass er die Madigans mögen würde. Das Haus wirkte an einigen Stellen ein wenig schäbig, aber das lag nur daran, dass es stark beansprucht wurde. Hier gab es Leben, Liebe und Familienzusammengehörigkeit. Genauso musste ein Haus sein. Es erinnerte ihn stark an sein Elternhaus.

Margaret Madigan war am Herd beschäftigt. Sie gab ein Stück Butter in einen Topf mit grünen Bohnen und verrührte es. Dann warf sie einen prüfenden Blick auf die zwei großen, tiefen Bratpfannen aus Gusseisen im Ofen.

»Das Essen ist fertig«, verkündete sie.

Jeder nahm eine Schüssel in die Hand und ging damit ins Wohnzimmer.

Cate setzte sich und sah sich um.

»Wo ist Amy?«

»Sie ist oben«, antwortete Danny. »Ihr wird vom Geruch des Essens übel. Sie kommt zum Nachtisch herunter. Das ist das Einzige, was sie im Augenblick essen kann.«

»Kann der Hund auf Mommys Stuhl sitzen?«, wollte Zelda wissen.

»Er hat noch nicht gelernt, auf einem Stuhl zu sitzen«, meinte Cate.

»Aber auf der Couch kann er sitzen«, erklärte Zelda. »Er setzt sich auf den Hintern wie ein Mensch.«

Jim Madigan strich Butter auf ein Brötchen. »Auf welchem Gebiet sind Sie tätig?«, fragte er Kellen.

»Wiedergewinnung«, antwortete Kellen.

»Also auf einem Schrottplatz?«

»Nein, Sir. Ich arbeite für Banken und Versicherungsgesellschaften und manchmal auch für Privatpersonen. Ich untersuche Fälle von verlorenem Eigentum.«

»Wie ein Privatdetektiv?«

»Die Arbeit ist hin und wieder ähnlich, aber ich bin kein Privatdetektiv.«

Mit einem Mal fiel es Cate wie Schuppen von den Augen. Kellen benutzte sie, um Marty auszuspionieren. Marty hatte wahrscheinlich irgendetwas, was eine andere Person zurückhaben wollte, und Kellen war beauftragt worden, den Gegenstand wiederzubeschaffen.

»Meine Güte!« Cate warf Kellen einen eisigen Blick zu.

»Au weia«, murmelte Kellen.

Cate kniff die Augen zusammen. »Mir ist gerade ein Licht aufgegangen.«

»Können wir später darüber sprechen?«, fragte Kellen mit gesenkter Stimme.

»Selbstverständlich«, erwiderte Cate und versetzte ihm einen Tritt gegen den Knöchel.

Kellen ließ seine Gabel fallen und stöhnte auf.

»Hoppla«, sagte Cate. »Tut mir leid. Das war ein Versehen.« Sie trat ihn noch einmal. »Oje, schon wieder.«

Kellen legte den Arm um Cates Schulter und flüsterte ihr ins Ohr: »Wenn du mich noch einmal trittst, gebe ich Pugg deine Handynummer.«

»Das könnte es mir wert sein«, erwiderte Cate.

»Was ist los?«, wollte Danny wissen. »Gibt es ein Problem?«

»Nein«, erwiderte Cate. »Es gibt kein Problem. Wir albern nur herum.«

»Erzählen Sie uns etwas über Ihre Eltern«, forderte Jim Madigan Kellen auf.

»Sie sind tot.«

Alle am Tisch verstummten.

»Das tut mir sehr leid«, brachte Margaret Madigan schließlich hervor. »Und Ihre Schwestern?«

»Sie sind auch tot.« Der Blick, den Kellen Cate zuwarf, reizte sie, ihm einen weiteren Tritt zu verpassen.

»Und hast du Hunde oder Katzen?«, erkundigte sich Danny.

»Einige.« Kellen unterdrückte ein Grinsen.

Cate saß mit verschränkten Armen neben Kellen auf dem Beifahrersitz und starrte geradeaus durch die Windschutzscheibe. Biest, der sich auf dem Rücksitz niedergelassen hatte, beugte sich nach vorn, als er spürte, dass Unheil drohte.

»Deine Körpersprache verrät nichts Gutes«, meinte Kellen. »Du scheinst wütend zu sein.«

»Die Frauen der Familie Madigan werden nicht wütend. Wir rächen uns stattdessen.«

»Blüht mir noch Schlimmeres als die Tritte gegen meinen Knöchel?«

»Dir blüht nichts mehr. Niemals.«

»Jetzt sprechen wir von Sex, oder?«

»Es wäre auch zu schön gewesen, um wahr zu sein. Ich hätte dir gezeigt, dass eine Wildkatze in mir steckt. Ich hätte alles getan.«

»Alles?«

»Fast alles.«

»Verflixt, das ist wirklich schade«, meinte Kellen. »Ich hatte mir auch einiges vorgenommen. Soll ich dir sagen, was ich alles vorhatte?«

»Nein!«

Kellen lenkte den Mustang auf die Massachusetts Avenue. »Ich denke, ich sollte dir einiges erklären, solange du mir nicht entkommen kannst. Ich bin ein selbstständiger Wiederbeschaffungsagent. Als ich Polizist war, stellte ich fest, dass die Polizei zwar sehr erfolgreich arbeitete, wenn es darum ging, böse Jungs zu schnappen.

Bei der Wiederbeschaffung von gestohlenem Eigentum sah es jedoch ganz anders aus. Dafür gibt es einige Gründe – unter anderem liegt es am Budget und an der Konzentration auf bestimmte Aufgaben. Es gibt zu viele Verbrechen und zu wenig Polizisten. Und gestohlene Waren werden meistens sofort an einen Hehler weitergegeben und verschwinden dann spurlos. Manchmal ist ein gestohlener Gegenstand leicht zu ersetzen, aber manchmal ist er unersetzlich. Üblicherweise werde ich von einer Versicherungsgesellschaft engagiert, wenn es sich um einen lohnenden Auftrag handelt. In diesem Fall hat mich eine Privatperson engagiert, der ein Schmuckstück gestohlen wurde. Es ist ein Original, und mein Auftraggeber möchte es um jeden Preis zurückhaben.«

»Und du glaubst, dass Marty etwas damit zu tun hat?«

»Ich habe Martys Aktivitäten in den letzten beiden Jahren überprüft und bin auf siebzehn Fälle von Diebstahl gestoßen. Alle haben sich bei Partys ereignet, zu denen Marty eingeladen war. Marty ist die einzige Person, die mit allen siebzehn Vorfällen in Verbindung gebracht werden kann.«

»Zufall?«

»Siebzehn ist eine hohe Zahl für Zufall. Vor zwei Wochen trat Marty auf einer Wohltätigkeitsveranstaltung im Haus meines Kunden auf, und am nächsten Tag entdeckte mein Auftraggeber, dass eine Halskette – ein Erbstück – aus seinem Safe entwendet worden war. Ich wurde engagiert, um ihm diese Halskette zurückzubringen.

Und ich hoffte, ich würde sie in Martys Wohnung finden.«

»Also hast du dich an mich herangemacht, um eine Gelegenheit zu haben, Martys Wohnung zu durchsuchen.«

»Das war mein ursprünglicher Plan. Er gefiel mir wesentlich besser als die Vorstellung, Marty becircen zu müssen. Als ich dich jedoch eine Stunde lang bei deiner Arbeit in der Bar beobachtet hatte, wollte ich nicht mehr nur mit dir bekannt werden, um den Auftrag zu erledigen.«

»Das klingt nach einer typisch irischen Schmeichelei«, meinte Cate.

»Na ja, ich bin kein Ire. Mein wirklicher Name lautet Kellen Koster.«

»Kellen Koster?«

Kellen fuhr langsam die Straße entlang, in der Cate wohnte, und hielt Ausschau nach einem Parkplatz. Einen halben Block von ihrem Haus entfernt entdeckte er eine Lücke und manövrierte den Mustang geschickt hinein.

»Eigentlich sollte ich Kevin Koster heißen, aber im Krankenhaus wurde der Name versehentlich falsch geschrieben und nie richtiggestellt. Die meisten Leute nennen mich Ko.«

»Ich gehöre aber nicht zu den meisten Leuten.«

»Das ist mir bereits aufgefallen.«

»Und was nun?«, fragte Cate.

»Jetzt lassen wir Biest aus dem Mustang. Er bläst mir

seinen heißen Atem in den Nacken. Dann schlendern wir gemütlich zu deiner Wohnung und überlegen uns, wohin wir noch gehen wollen.«

Cate packte Biests Leine und lockte den Hund aus dem Wagen auf den Gehsteig. Es war kurz nach neun, und die Hitze in der Stadt hatte sich immer noch nicht gelegt. Das Wetter in Boston weckte Gelüste nach kaltem Bier und Eiskaffee. Nach Kappen der Red Soxs, verrückten T-Shirts und Sandalen. Die Luft war so schwer von Kohlenwasserstoff, dass sie in der Kehle kratzte, und der Schmutz der Stadt brannte in den Augen. Das alles gehörte zum Sommer in Boston, und die Menschen genossen ihn vergnügt in Straßencafés und jubelnd im Baseballstadion Fenway.

Biest trottete Cate hinterher und wartete geduldig, während sie den Schlüssel in das Haustürschloss steckte.

»Gute Nacht«, sagte Cate zu Kellen, als die Tür sich mit einem Klicken öffnete. »Es war … nun, recht interessant.«

»So schnell wirst du mich nicht los«, erklärte Kellen. »Ich komme mit nach oben.«

»Auf keinen Fall.«

Kellen stieß die Haustür auf und betrat das Gebäude. »Ich möchte mich in der Wohnung noch einmal umsehen. Und außerdem hätte ich nichts gegen einen Gutenachtkuss.«

»Darauf kannst du lange warten.«

»Auf den Kuss oder die Wohnungsdurchsuchung?«

»Auf beides.«

Kellen stieg mit Cate und Biest in den Aufzug und drückte auf den Knopf zum vierten Stockwerk. »Normalerweise wird auf der Straße darüber gesprochen, wenn ein ungewöhnliches Stück im Umlauf ist. Über mein Schmuckstück wurde bisher noch kein einziges Wort verloren. Ich glaube, dass Marty es noch hat. Irgendwo.«

»Warum sollte er es aufbewahren? Das würde doch das Risiko erhöhen, dass man ihn schnappt, oder?«

»Nur wenn er es irgendwo zur Schau stellt. Viele Diebe, die wertvolle Gegenstände stehlen, behalten hin und wieder ein bestimmtes Stück für ihre persönliche Sammlung. Wenn sie klug sind, halten sie diese persönliche Sammlung gut versteckt. Und manchmal wird auch ein Gegenstand gestohlen, der zu heiß zum Weiterverkauf ist und deshalb zuerst ein, zwei oder sogar zehn Jahre versteckt werden muss.«

»Martys Wohnung wurde aber bereits durchsucht.«

»Ich möchte sie noch einmal überprüfen.« Aber vor allem wollte Kellen einen Kuss von Cate.

Kapitel 9

Cate drehte den Schlüssel im Schloss und stieß die Wohnungstür auf.

»Verdammter Mist«, entfuhr es ihr. »*Déjà-vu*.«

Kellen betrat die Wohnung und sah sich um. »Das sieht nicht gut aus.«

Cate und Biest folgten ihm in den Gang und starrten entgeistert auf das Chaos. Tische waren umgeworfen, Möbelstücke verrückt, und die Sofakissen lagen verstreut auf dem Boden.

»Das war keine normale Durchsuchung«, meinte Kellen und wanderte durch die Wohnung. »Für mich sieht es so aus, als hätte es einen Kampf gegeben. Auf dem Küchenboden sind einige Blutspritzer, so als hätte jemand einen Schlag auf die Nase bekommen.«

»Das ergibt keinen Sinn.«

»Vielleicht ist Marty zurückgekommen und wurde von jemandem verfolgt.«

»Ich kann mir nicht vorstellen, dass Marty die Haustür nicht abgeschlossen oder die Wohnung verlassen und einen blutbespritzten Küchenboden zurückgelassen hat. Marty ist sehr penibel.«

»Vielleicht hat er sie nicht freiwillig verlassen.«

Eine halbe Stunde später befanden sich Cate und Kellen in Martys kleinem Büro. Kellen setzte sich auf den Stuhl an Martys Schreibtisch und durchstöberte die Schubladen.

»In seinem Aktenschrank ist nichts von Wert«, stellte Kellen fest. »Seinen Computer hat er anscheinend mitgenommen. Ich kann keine Speichersticks, Disketten oder Schlüssel zu einem Bankschließfach finden. Es gibt keine Schubladen mit doppeltem Boden oder Bücherregale mit Drehmechanismus wie bei James Bond. Dieses Büro ist sauber. Soweit ich sehen kann, trifft das auf die gesamte Wohnung zu. Aber das kann ich nicht glauben. Irgendetwas habe ich übersehen, da bin ich mir sicher.«

»Nur Hartnäckigkeit bringt dich voran«, meinte Cate.

Kellen lächelte verschmitzt. »Das muss ich mir merken. Damit könnte ich sogar Pugg wie einen Amateur aussehen lassen.«

»Sollen wir die Polizei anrufen?«

»Ja. Das ist bereits der zweite Einbruch, und irgendjemand hat in der Küche Blut verloren. Es kann nicht schaden, den Fall polizeilich protokollieren zu lassen.«

»Wird die Polizei das Blut untersuchen?«

»Nicht, solange keine Leiche im Treppenhaus gefunden wird.«

Cate und Kellen starrten sich an.

»Vielleicht sollte ich im Treppenhaus nachsehen«, meinte Kellen.

Cate steckte den Wohnungsschlüssel in die Tasche und

folgte Kellen in das hell erleuchtete Treppenhaus. Sofort fielen ihnen die kleinen, dunklen Flecken auf den Stufen ins Auge.

»Blut?«, fragte Cate.

Kellen blieb abrupt auf dem Absatz zum dritten Stockwerk stehen. »Eine Menge. Und ein toter Mann.«

Cate lief zu ihm hinunter und schlug die Hand vor den Mund. Ein großer Mann lag merkwürdig verrenkt auf dem Treppenabsatz. Es war ein Weißer mit braunem Haar und einer stark ausgeprägten Stirnglatze. Etwa vierzig Jahre alt und bekleidet mit einem kurzärmligen weißen Hemd und einer braunen Freizeithose. Er lag auf dem Bauch, und seine Beine waren in einem seltsamen Winkel abgeknickt. Sein Gesicht war nach oben zur Decke gedreht und trug einen Ausdruck der Verblüffung. Unter ihm hatte sich eine Blutlache gebildet.

»Du wirst doch nicht etwa schreien, in Ohnmacht fallen oder dich übergeben?«, erkundigte sich Kellen.

»Schreien werde ich nicht, aber es ist gut möglich, dass mir gleich übel wird.«

»Setz dich und atme ein paarmal tief durch.«

»Bist du sicher, dass er tot ist?«, erkundigte sich Cate.

»Sein Kopf ist nach hinten geknickt. Das lässt üblicherweise auf Tod schließen.«

Cate trat vorsichtig näher. »Sieht so aus, als wäre er derjenige, der einen Schlag auf die Nase bekommen hat. Aber das ist jetzt schätzungsweise sein geringstes Problem.«

»Ich sehe keine Einschüsse oder Stichwunden. Wahr-

106

scheinlich ist er die Treppe hinuntergestürzt und hat sich das Genick gebrochen. Kennst du ihn?«

»Es könnte Martys Agent sein. Ich kann mich nicht mehr an seinen Namen erinnern. Ich habe ihn nur ein paarmal gesehen, als er in die Bar kam, um Marty singen zu hören.«

»Geh wieder nach oben«, befahl Kellen. »Wir müssen auf jeden Fall die Polizei rufen.«

Cate warf einen Blick vorbei an dem jungen Polizisten, der mit Kellen sprach, und entdeckte Julie und Sharon. Sie standen in einer Gruppe von neugierigen Hausbewohnern im Flur. Sharon trug einen Morgenmantel über ihrem Schlafanzug und Hausschuhe mit acht Zentimeter hohen dünnen Absätzen. Julie hatte noch ihre Arbeitskleidung vom Partyservice an: ein weißes T-Shirt mit der Aufschrift »Trolley« und schwarze Jeans.

Cate winkte Julie und Sharon zu, und die beiden lösten sich von der Gruppe und kamen in Cates Wohnung.

»Wir sind gleich gekommen, als wir es erfahren haben«, sagte Sharon. »Julie hat die Polizei bei ihrer Rückkehr von der Arbeit gesehen.«

»Zuerst dachte ich, es handele sich um einen Familienkrach«, erzählte Julie. »Du weißt ja, dass die Millers sich oft anschreien und damit drohen, die Polizei zu rufen. Aber dann sah ich, wie sie jemanden in einem Leichensack auf einer Bahre herausgekarrt haben, und rief sofort Sharon an.«

»Das ist einfach schrecklich«, erklärte Sharon. »Habt ihr eine Ahnung, wie ein solcher Vorfall sich auf den Wert einer Immobilie auswirkt?« Sie hielt einen Augenblick lang inne. »Andererseits wird hier wahrscheinlich eine Wohnung frei, falls die Person in dem Leichensack hier gewohnt hat. Wenn ich keine Zeit verliere, könnte ich den Auftrag bekommen, sie zu verkaufen.«

»Ich glaube nicht, dass er hier gewohnt hat«, warf Cate ein.

»Hast du ihn gesehen?«, wollte Julie wissen. »Ich wette, du kennst alle Einzelheiten über den Toten.«

»Nein, ich weiß nicht viel über ihn«, erwiderte Cate. »Kellen und ich haben ihn im Treppenhaus gefunden. Anscheinend ist er die Treppe hinuntergestürzt.«

»Wie tragisch«, meinte Julie. »Menschen sind so zerbrechlich. Gerade spazieren sie noch durch die Gegend, und dann sind mit einem Schlag all ihre Knochen zertrümmert. Das Schicksal ist kapriziös. Ich habe dieses Wort erst heute gelernt und bin mir nicht sicher, ob ich es jetzt richtig verwendet habe.«

Sharon beugte sich zu Julie vor. »Hast du getrunken?«

»Im Party-Trolley wurden heute Margaritas serviert, und sie hatten zu viele gemixt. Als alle Touristen gegangen waren, musste ich ein paar davon trinken.«

»Du *musstest* sie trinken?«

»Das verlangte die Höflichkeit.«

Sharon wandte sich an Cate. »Wenn ihr die Leiche im

Treppenhaus gefunden habt, warum wird dann deine Wohnung von einem Polizeiaufgebot belagert?«

»Möglicherweise war der Tote vorher hier. Meine Tür war unverschlossen, und alle Sachen waren durchwühlt.«

»Das ist ja wirklich gruselig«, meinte Julie. »Wenn ein Toter durch meine Wohnung marschiert wäre, würde ich ausrasten. Meine Tante Margery behielt meinen Onkel Lester nach seinem Tod zwei Monate lang in ihrem Wohnzimmer. Sie sagte, so würde sie sich nicht so einsam fühlen. Natürlich ist er nicht herumgelaufen, sondern lag wie immer auf dem Sofa im Wohnzimmer. Eigentlich habe ich meinen Onkel Lester auch zu seinen Lebzeiten immer nur auf der Couch liegen sehen, und nach seinem Tod sah er auch nicht wesentlich anders aus. Und dann lag Onkel Lester eines Tages nicht mehr im Wohnzimmer, und alle sagten, Tante Margery hätte ihn im Garten hinter dem Haus begraben. Wir waren uns nicht sicher, denn keiner von uns war bei der Beerdigung dabei gewesen, aber ein großes Stück des Rasens im Garten war umgegraben worden, das sah man. Tante Margery pflanzte im Herbst immer Kohlköpfe an, und sie wuchsen wie der Teufel.«

Sharon und Cate waren sprachlos und starrten beide Julie mit leicht geöffnetem Mund an.

»Ich hatte immer ein komisches Gefühl, wenn ich diesen Kohl aß«, fügte Julie als nachträglichen Gedanken hinzu.

Kellen kam von hinten auf Cate zu und legte ihr die Hand auf den Rücken. »Meine Damen«, begrüßte er Julie und Sharon.

»Hallo«, erwiderte Julie.

Sharon nickte.

»Die Polizei wird jetzt abziehen«, sagte Kellen zu Cate. »Möchtest du deiner Aussage noch etwas hinzufügen?«

»Nein«, antwortete Cate. »Mir fällt dazu nichts mehr ein.«

»Möchtest du, dass wir dir heute Nacht Gesellschaft leisten?«, erkundigte sich Sharon. »Julie und ich könnten bei dir schlafen, damit du nicht allein in der Wohnung bist. Oder du könntest nach unten in meine Wohnung kommen.«

»Vielen Dank für das Angebot, aber ich komme schon zurecht«, erwiderte Cate. »Ich habe ja Biest bei mir.«

»Ruf an, falls du deine Meinung ändern solltest«, sagte Sharon.

Einige Minuten später schloss Kellen die Wohnungstür von innen ab, und er und Cate blieben einen Moment stehen, um die Stille zu genießen. Die Leute von der Spurensicherung arbeiteten noch im Treppenhaus, aber in der Wohnung waren sie jetzt allein. Das Licht eines Scheinwerfers der Polizei wanderte kurz durch das Fenster des Wohnzimmers. Es stammte von einem einzelnen Streifenwagen, der vier Stockwerke unter ihnen auf der Straße parkte. Als das Licht abgeblendet wurde, seufzte Cate erleichtert auf. Es war nun bereits kurz nach Mitternacht.

»Kommst du wirklich heute Nacht allein in deiner Wohnung zurecht?«, fragte Kellen.

»Natürlich«, erwiderte Cate. »Mir geht es gut.« Und dann brach sie in Tränen aus.

Kellen zog sie an sich, hielt sie fest in den Armen und legte seine Stirn gegen ihre.

»Ich weiß nicht, warum ich jetzt weine«, schluchzte Cate. »Ich habe den Toten nicht einmal gekannt. Und in Martys Wohnung ist nichts zerstört worden. Es fehlt auch nichts. Und ich bin sicher hier, wenn ich die Tür von innen verriegele, nicht wahr?«

»Natürlich«, beruhigte Kellen sie.

»Warum heule ich dann?«

»Gefühle«, erklärte Kellen. »Manchmal muss alles einfach raus. Du hast dich zusammengerissen, als wir die Leiche fanden und ebenfalls während der gesamten polizeilichen Untersuchung. Jetzt kannst du dich entspannen und deinen Gefühlen freien Lauf lassen. Das funktioniert wie ein Sicherheitsventil.«

»Warum heulst du nicht?«

»Ich bin ein großer, starker Mann. Für mich wäre es ungehörig, zu flennen wie ein kleines Mädchen.«

»Weinst du denn, wenn du nachher allein bist?«

»Nein. Ich habe schon Schlimmeres als das gesehen.«

Cate schniefte und hickste und machte sich auf den Weg in die Küche, um dort nach einem Papiertaschentuch zu suchen. Sie putzte sich die Nase und starrte auf den Holzblock mit dem Messerhalter auf der Arbeitsflä-

111

che aus Granit. Das große Tranchiermesser fehlte. Sie warf einen Blick in den Geschirrspüler. Dort war es nicht. Auch in der Schublade für das Silberbesteck und in dem Fach für die restlichen Küchenutensilien konnte sie es nicht entdecken.

Cate ging zurück in das Wohnzimmer, wo Kellen die Möbel zurechtrückte. »Das große Tranchiermesser ist nicht mehr da«, erklärte sie.

Kellen sah zu ihr hinüber. »Bist du sicher?«

»Ja, ganz sicher. Ich habe in allen Schubladen nachgesehen und konnte es nicht finden.«

»Die Leiche im Treppenhaus wies aber keine Messerstiche auf.«

Cate zuckte die Schultern und bedeutete mit einer Geste ihrer Hände, dass ihr das ein Rätsel war.

»Es ist schon spät«, meinte Kellen. »Und wir sind beide müde. Ich bin der Meinung, wir sollten zu Bett gehen und morgen aufräumen.«

»Das Blut muss ich aber heute noch vom Boden wischen.«

»Schon verstanden. Wo bewahrst du den Wischmopp auf?«

»Das ist nicht dein Problem.«

»Doch, das ist es.« Kellen legte die Arme um Cates Schultern. »Ich mag dich sehr. Ich meine, ich mag dich wirklich sehr.«

»Ich mag dich auch«, gestand Cate. »Aber ich bin mir nicht sicher, ob ich dir vertrauen kann.«

»Du bist eine kluge Frau«, erwiderte Kellen. Dann berührte er flüchtig ihre Lippen mit seinem Mund, bevor er ihr einen zweiten Kuss gab. Einen langen, gefühlvollen Kuss, der immer intensiver wurde.

Cate spürte Verlangen in sich aufsteigen und schmiegte sich instinktiv an Kellen. Er ließ seine Hand sofort zu ihrem Po wandern und drückte sie an sich.

»Hoppla«, entfuhr es Cate. »Das wollte ich nicht tun.«

»Aber es ist geschehen«, sagte Kellen. »Und du kannst es nicht rückgängig machen.«

»Es war ein Versehen.«

»Mir gefällt es.«

»Das spüre ich«, flüsterte Cate.

Kellen sah ihr in die Augen. »Ist es immer noch zu früh für dich?«

»Ja.«

»Okay, was hältst du davon? Ich werde den Küchenboden wischen, und du gehst ins Bett. Wenn ich fertig bin, werde ich mich in Martys Zimmer schlafen legen. Morgen Vormittag mache ich dir Frühstück, und wir können uns unterhalten.«

»Das wäre sehr nett von dir. Ich habe mich nicht gerade darauf gefreut, das Blut wegwischen zu müssen. Dafür schulde ich dir etwas.«

»Ich werde darauf zurückkommen«, meinte Kellen.

Kellen saß auf der Couch und tippte Mails in seinen Black-Berry, als Cate mit Biest aus ihrem Schlafzimmer kam.

»Hast du gut geschlafen?«, erkundigte sich Cate bei Kellen.

»Ja. Und ich habe die Gelegenheit ergriffen und noch einmal die Wohnung durchsucht. Und wieder habe ich nichts gefunden. Marty stiehlt wertvollen Schmuck. Er muss ihn irgendwo aufbewahren, bis er ihn zu einem Hehler bringt. Hier gibt es keinen Safe. Nicht einmal eine Geldkassette. Wo bewahrt Marty die Schmuckstücke auf?«

»Seinen persönlichen Schmuck verwahrt er in der obersten Schublade seiner Kommode. Andere Schmuck-stücke habe ich in dieser Wohnung nie gesehen. Viel-leicht hat er ein Schließfach bei seiner Bank.«

»Ich habe seine Unterlagen durchgesehen und konn-te keinen Hinweis auf ein Bankschließfach finden. Keine Quittung. Keinen Beleg. Das heißt natürlich nicht, dass kein Schließfach existiert, aber normalerweise bewahrt ein ordentlicher Mensch wie Marty Unterlagen darüber bei seinen Akten auf. Bei meiner Suche habe ich nur ei-nen Gegenstand von Interesse entdeckt: einen einzelnen Schlüssel an einer goldenen Kette. Er sieht wie ein Haus-schlüssel aus. Hat Marty einen Partner?«

»Du meinst, ob er einen Freund hat? Ich glaube nicht.«

»Hat er nie jemanden mit nach Hause gebracht?«

»Nein. Ich bin sicher, dass er Freunde hat, aber er hat niemals einen von ihnen hierhergebracht. Vielleicht be-sitzt Marty eine zweite Wohnung.«

»Wenn das der Fall ist, dann läuft sie nicht auf seinen Namen. Ich habe mir die Steuerunterlagen angesehen.«

»Biest und ich machen einen Spaziergang«, verkündete Cate. »In einer halben Stunde sind wir zurück. Du hast uns ein Frühstück versprochen.«

»Wir können beides miteinander verbinden«, meinte Kellen. »Ich begleite dich und Biest auf eurem Spaziergang, und wir können im Park ein paar Burger zum Frühstück verspeisen.«

Es war kurz nach acht Uhr am Morgen, und auf den Straßen herrschte bereits lebhafter Verkehr, als sie gemeinsam das Haus verließen. Irgendwann in der Nacht hatte es geregnet, und die Luft wirkte von Ruß und Giftstoffen rein gewaschen. Biest hob in der kühlen Luft die Schnauze und stolzierte in den Park, um sein Geschäft zu erledigen. Kellen holte Kaffee in Bechern und Papiertüten voll Burger mit Ei und Speck und trug alles zu einer Parkbank.

»Das ist herrlich«, sagte Cate und verfütterte einen Burger an Biest. »Ein richtiges Morgenpicknick.«

»Mir wäre noch wohler dabei, wenn ich dich besser beschützen könnte«, erklärte Kellen. »Es gefällt mir nicht, dass irgendwelche Leute in deine Wohnung einbrechen.«

»Einer dieser Einbrecher wird das nie wieder tun.«

»Das ist wahr, aber es müssen mindestens zwei Menschen da gewesen sein. Einer meiner Freunde ist Schlosser. Ich werde ihn dir noch heute Vormittag vorbeischicken, damit er das Schloss an der Wohnungstür austauscht.«

»Das geht nicht. Die Wohnung gehört nicht mir, und Marty hätte dann keinen Schlüssel mehr.«

»Marty kann klingeln, wenn er in die Wohnung möchte. Und wenn du nicht zu Hause bist, kann er dich anrufen. Ich bin sicher, dass er deine Handynummer hat.«

»Ich habe angenommen, dass jemand das Schloss geknackt hat.«

»Das ist möglich, aber es kann auch jemand hier gewesen sein, der einen Schlüssel besaß. Du wohnst in einem sicheren Gebäude. Man gelangt nur durch die Haustür, wenn einer der Mieter den Türöffner betätigt oder wenn man die Tür mit einem Hauptschlüssel öffnet.«

Cate trank ihren Kaffee aus, aß ihr Brot auf und gab Biest noch ein letztes Sandwich. Nachdem sie das Einwickelpapier, die Tüten und die Becher eingesammelt und in einen Mülleimer geworfen hatten, überquerten sie die Straße. Sie hatten soeben das Haus erreicht, als Kitty Bergman ihren Mercedes mit quietschenden Reifen abbremste und ihn in der Parkverbotszone abstellte.

Kitty sprang aus dem Wagen, stürmte zu Cate hinüber und wedelte mit einer Ausgabe der Morgenzeitung vor ihrem Gesicht herum. Biest jaulte auf und versteckte sich rasch hinter Kellen.

»Was zum Teufel ist hier los?«, brüllte Kitty. »Martys

Agent tot im Treppenhaus aufgefunden! Erste Untersuchungen deuten darauf hin, dass er auf der Treppe gestürzt ist und sich das Genick gebrochen hat. Erstens kenne ich Martys Agenten und weiß, dass dieser faule Drecksack niemals die Treppe benutzt hätte. Und zweitens hast du ihn umgebracht, nicht wahr?«

»Warum hätte ich das tun sollen?«

»Alle hätten ihn gern tot gesehen. Er war ein widerwärtiger Schmarotzer.«

»Aber ich habe ihn nicht einmal gekannt«, protestierte Cate. »Und ich war nicht im Haus, als es passierte.«

»Sie war mit mir zusammen«, warf Kellen ein.

»Wer sind Sie?«, wollte Kitty wissen.

»Kellen Koster.«

Kitty zog den Schulterriemen ihrer Prada-Tasche zurecht und starrte Kellen mit zusammengekniffenen Augen an. »Sollte mir das irgendetwas sagen?«

»Heute nicht, aber vielleicht eines Tages.«

»Ersparen Sie mir diese rätselhaften Sprüche«, schnaubte Kitty. »Normalerweise würde ich gar nicht mit Ihnen reden, aber Sie scheinen einen gut trainierten Körper zu haben.«

Cate und Kitty betrachteten einen Moment lang diesen gut trainierten Körper.

»Danke«, erwiderte Kellen schließlich lächelnd.

Die Tür des Aufzugs öffnete sich, und Cate stieg rasch ein und zog Biest hinter sich her.

»Es war mir ein Vergnügen, Sie kennenzulernen«,

sagte Kellen zu Kitty. Er folgte Cate und Biest in den Lift und drückte den Knopf für das vierte Stockwerk. »Offensichtlich eine Frau mit scharfer Beobachtungsgabe«, meinte er.

Kapitel 10

Cate und Julie starrten auf die Arbeitsfläche in Cates Küche, auf der etliche Kuchen standen.

»Schätzchen, das sind eine Menge Kuchen. Hast du sie alle heute gebacken?«, fragte Julie.

»Ja.«

»Und was willst du damit anfangen?«

Cate hatte keine Ahnung. Sie hatte bereits all ihren Bekannten einen Kuchen gebracht. »Ich wünschte, die Ferien wären vorüber«, seufzte sie. »Ich brauche eine Beschäftigung, die mich ablenkt. Meine Schicht in der Bar beginnt erst nachmittags um fünf. Bis dahin habe ich noch zwei Stunden Zeit.«

»Wie wäre es mit einer Pediküre?«

»Habe ich gerade gemacht.«

»Ach ja.« Julie warf einen Blick auf Cates Zehen. »Der pinkfarbene Lack gefällt mir gut. Deine Zehennägel sehen wirklich gut aus.«

»Ich habe die Wohnung geputzt und bin mit Biest Gassi gegangen. Dann habe ich meine Kontoauszüge sortiert und Lebensmittel eingekauft.«

»Ich nehme an, du versuchst dich abzulenken, um nicht an den Toten denken zu müssen«, meinte Julie.

»Ja«, antwortete Cate und seufzte wieder.

Eigentlich versuchte sie, ihre Gedanken an Kellen zu verdrängen. Seit Kitty seinen muskulösen Körper erwähnt hatte, konnte Cate an nichts anderes mehr denken.

»Hast du den Artikel in der Morgenzeitung gelesen?«, fragte Julie. »Sie schreiben, der Mann habe Irwin Moss geheißen. Und er sei Martys Agent gewesen. Und die Polizei glaubt, dass Irwin Marty aufgesucht hat, um mit ihm zu reden. Dann ist es wohl zu einem Streit gekommen, Irwin hat wütend die Wohnung verlassen und ist auf der Treppe gestürzt. Die Polizei konnte Marty bisher aber nicht finden. Und sie erwähnten deinen Namen. Sie sagten, du seist Martys Haushälterin.«

Das Telefon klingelte, und Cate nahm den Anruf in der Küche entgegen.

»Ich stehe wieder vor 2B«, verkündete Sharon. »Und dieses Mal habe ich ihn. Ich weiß, dass mein Plan funktionieren wird. Du musst herunterkommen und dabei sein.«

»Jetzt?«, fragte Cate.

»Jetzt! Sofort.«

Cate und Julie streckten die Köpfe aus dem Aufzug, als die Tür sich im zweiten Stockwerk öffnete. Sie warfen einen Blick den Gang hinunter, wo Sharon ihnen wild gestikulierend bedeutete, zu ihr zu kommen. Beide hätten fast laut losgeprustet und bemühten sich, ein ernstes Gesicht zu machen.

»Hört euch das an«, begann Sharon. »Ich glaube, dass er in der Wohnung ist. Ich stehe schon den ganzen Tag Wache. Und gegen ein Uhr habe ich Musik gehört. Also habe ich mir ein paar Schachteln Zigaretten besorgt. Wir werden uns jetzt alle Zigaretten anzünden und den Rauch unter seiner Tür hindurchblasen. Irgendwann wird er den Qualm bemerken und herausgelaufen kommen. Und dann habe ich ihn!«

»Schätzchen, du bist überarbeitet«, meinte Julie. »Sogar ich weiß, dass das eine schlechte Idee ist. Und ich bin nicht besonders schlau.«

»Das macht mich verrückt«, erklärte Sharon. »Ich kenne fast jeden in diesem Haus, bis auf diesen Kerl. Was ist er – ein Vampir? Verdammt, er hat sich noch nie bei Tageslicht sehen lassen. Ich passe jeden Morgen auf, und er kommt einfach nicht heraus!« Sharon wandte sich an Julie. »Hast du ihn jemals gesehen? Du sitzt doch ständig am Fenster. Wenn er sich aus dem Haus geschlichen hätte, wäre er dir doch aufgefallen, oder nicht?«

»Ich glaube nicht, dass ich ihn schon gesehen habe«, erwiderte Julie. »Aber hier gehen einige merkwürdige Leute ein und aus. Handwerker und Besucher. Hundesitter und Immobilienmakler. Und ich sitze nicht immer am Fenster. Manchmal gehe ich ins Bad oder mache mir ein Sandwich.«

»Ich werde ab jetzt die Wohnung nachts bewachen«, sagte Sharon. »Das ist die Lösung für dieses Problem. Ich könnte einen Schlafsack vor seiner Tür ausrollen.

Wenn er dann herauskommt, muss er über mich steigen.«

»Vielleicht reist er viel, so wie Marty«, meinte Julie. »Möglicherweise ist so gut wie nie jemand in dieser Wohnung.«

»Ich habe Musik gehört«, beharrte Sharon. »Dort drin hört jemand Musik!«

»Mich interessiert 2B auch, aber ich bin nicht so besessen wie du«, sagte Cate. »Das passt gar nicht zu dir. Du bist eine Frau, die ihr Schicksal selbst in die Hand genommen hat. Und du bist eine erfolgreiche Immobilienmaklerin. Warum hast du dich in diese Sache so verbohrt?«

»Ich weiß es nicht. Es ist einfach ein Gefühl, das ich nicht loswerde. Irgendwie glaube ich, dass etwas Schlimmes passieren wird, wenn ich nicht herausfinde, wer in 2B wohnt.«

»Wahrscheinlich ist das eine dieser Karma-Geschichten«, meinte Julie. »So als wärt ihr unglückliche Liebende. Meine Cousine Lily hatte einmal ein solches Gefühl. Sie arbeitete in einer Hühnerverarbeitungsfabrik. Eines Tages wurde ein Neuer eingestellt, und von der Minute an, als Lily einen Blick auf ihn geworfen hatte, war ihr klar, dass er der Richtige für sie war. Dummerweise arbeitete Lily am Verpackungsfließband, und der Junge war weit von ihr entfernt an dem Abschnitt eingeteilt, wo Schnäbel und Hinterteile für Hundefutter zermahlen wurden. Also versuchte Lily jeden Tag, irgendeine Möglichkeit zu finden, an dem Typen für Schnäbel und Hinterteile vorbeigehen zu können. Lily wusste einfach, dass es ihr Schicksal war, ihn kennenzulernen.« Julie warf einen Blick auf ihre Armbanduhr. »Ich muss los. Meine Schicht im Party-Trolley beginnt heute eher. Wir fahren eine Seniorengruppe, die wir bis spätestens um neun Uhr wieder im Altersheim abliefern müssen.«

»Und was war mit Lily?«, wollte Sharon wissen. »Hat sie den Jungen aus der Abteilung für Schnäbel und Hinterteile kennengelernt?«

»Nein. Lily hat ihn nie getroffen. Eines Tages war er einfach verschwunden. Und Lily heiratete ihren Cousin Butch.«

»Sie heiratete ihren Cousin?«, fragte Sharon nach.

»Na ja, er war kein Cousin ersten Grades. Und ihre Kinder haben sich normal entwickelt. Nur das jüngste schielt stark.«

»Geh ins Büro und versuch, ein Haus zu verkaufen«, sagte Cate zu Sharon. »Julie und ich werden uns etwas überlegen, wie du 2B kennenlernen kannst.«

Sharon hob vier Schachteln Zigaretten hoch. »Seid ihr sicher, dass der Plan mit dem Rauch keine gute Idee ist?«

»Ja«, antwortete Cate. »Es ist eine schlechte Idee. Ein Haus zu verkaufen ist viel besser.«

Cate und Julie hakten sich bei Sharon ein und begleiteten sie in den Fahrstuhl. Cate drückte den Knopf für die Lobby, und als die Türen sich geöffnet hatten, brachten sie und Julie Sharon zum Ausgang des Gebäudes.

»Los!«, forderte Cate sie auf. »Erledige deine Aufgaben als Maklerin.«

»Wenn du möchtest, könnte ich ein paar deiner Kuchen mitnehmen und sie heute Abend den alten Leutchen im Trolley geben«, schlug Julie Cate vor.

Cate war immer wieder verblüfft, wenn sie Julies Wohnung betrat. Mittlerweile wusste sie zwar, was sie erwartete, aber der Anblick des kahlen Apartments schockierte sie trotzdem jedes Mal von Neuem.

»Wie ich sehe, bist du überrascht«, sagte Julie, während sie zwei Kuchen in die Küche trug. »Sicher ist dir sofort mein neues Möbelstück aufgefallen.«

Die Neuanschaffung war ein zusammenklappbarer Liegestuhl mit Aluminiumstützen und quer gespannten Plastikbändern. Er stand nun vor dem Fernseher, und der Gartenstuhl hatte seinen festen Platz vor dem Fenster gefunden.

Cate folgte Julie mit den restlichen Kuchen. »Meinst du den Liegestuhl?«

»Ja. Wir fuhren mit dem Trolley die Straße entlang, als ich ihn neben einer Mülltonne entdeckte. Freddie hat den Bus angehalten, wir haben das kleine Prachtstück zusammengeklappt, und ich hab es mit nach Hause genommen. Der Liegestuhl ist sehr bequem. Ich kann mich jetzt beim Fernsehen sogar zurücklehnen, wenn ich möchte.«

Cate stellte die Kuchen neben die anderen auf Julies Küchentresen. »Nett von dir, dass du die Kuchen mitnimmst. Der Gedanke, dass ich niemandem damit eine Freude machen kann, hat mich traurig gemacht.«

»Bitte entschuldige die Unordnung«, sagte Julie. »Meine Papiere fliegen überall herum. Ich bin leider kein Organisationstalent.«

Cate betrachtete die Ansammlung von Blöcken und losen Blättern auf der Arbeitsplatte. Sie waren alle dicht beschrieben. »Was ist das?«, erkundigte Cate sich. »Das sieht nach deiner Handschrift aus.«

»Das sind meine Beobachtungen. Damit bin ich tagsüber beschäftigt bis zu meinem Dienst im Party-Trolley. Und manchmal schreibe ich auch nachts, wenn ich nach Hause komme. Das ist allerdings schwierig, weil ich nur eine Lampe habe.«

Cate nahm sich eines der losen Blätter und begann zu lesen. Es ging um eine von Julies Verabredungen, nach der sie ihr Höschen in ihre Tasche gesteckt hatte. Beim Überqueren der Newbury Street war es ihr herausgerutscht und auf die Straße gefallen. Ein älterer Herr hatte den Verkehr aufgehalten, um Julies Höschen aufzuheben. Wie es der Zufall wollte, befand sich der Party-Trolley bei diesem Schauspiel in der ersten Reihe, und alle Fahrgäste applaudierten. Julie verbeugte sich und bedankte sich bei dem Mann, der ihr Höschen gerettet hatte. Am nächsten Tag bewarb Julie sich für einen Job auf dem Trolley und wurde sofort engagiert.

Cate las zwei weitere Seiten und blätterte in einem der Blöcke. »Julie, das ist gut. Lustig, herzerfrischend und echt. Und es klingt nach dir. Es ist fesselnd. Du solltest etwas aus all diesen Aufzeichnungen machen. Vielleicht sie zu einem Buch verarbeiten.«

»Daran habe ich auch schon gedacht«, erklärte Julie. »Aber ich weiß nicht, wo ich anfangen soll. Ich glaube, ich kann Dinge gut schriftlich festhalten, aber sie dann zusammenzufügen liegt mir nicht.«

»Ich habe diese Woche eine Menge Freizeit«, meinte Cate. »Ich könnte deine Aufzeichnungen in meinen Computer tippen und sie für dich ausdrucken. Vielleicht kann ich dir helfen, sie zu ordnen.«

»Wow, das wäre fantastisch!«, jubelte Julie. »Aber nur, wenn du Zeit dafür hast. Ich möchte nicht, dass du dich damit herumplagst, wenn dein Semester angefangen hat. Es ist großartig, dass du bald Lehrerin sein wirst.«

Cate stapelte die Blöcke und warf einen Blick auf die losen Blätter, die überall verstreut waren.

»Ich habe ein System«, erklärte Julie. »Die zerknitterten Seiten können in den Müll.«

Pugg marschierte vor dem Gebäude auf und ab, als Cate herausgestürmt kam. Sie war schon spät dran.

»Pugg hat sich Sorgen um dich gemacht«, rief Pugg ihr zu. »Pugg hat heute Morgen in der Zeitung von dem Toten gelesen. Schockierende Neuigkeiten. Pugg ist entsetzt. Pugg glaubt, dass er diesem Mann Reifen verkauft hat. Stahlgürtelreifen.«

»Hast du gestern Abend hier auf mich gewartet?«

»Nein. Pugg musste gestern Abend arbeiten. Pugg ging dann zur Bar, aber du warst nicht da.«

»Ich hatte den Abend frei.«

»Das hat Pugg erfahren. Pugg wollte dich dann in deiner Wohnung besuchen, aber er kam nicht ins Haus. Jeder kann das Gebäude betreten, nur Pugg nicht. Pugg hat den toten Mann ins Haus gehen sehen.«

Cate blieb abrupt stehen und starrte Pugg an. »Was?«

»Pugg hat gesehen, wie der Tote hineinging. Jemand hat ihm mit dem Türdrücker aufgemacht. Pugg weiß das, weil ein Bild von ihm in der Zeitung war.«

»Weißt du, wer ihn ins Haus gelassen hat?«

»Nein. Pugg hat befürchtet, dass du es warst.«

»Ich war es nicht. War der Mann allein?«

»Ja. Pugg hat den Mann die Straße entlangkommen sehen. Er war ganz sicher allein.«

»Kannst du dich an die Uhrzeit erinnern?«

»Es war um halb acht. Pugg hat versucht, mit dem Mann das Haus zu betreten, wurde aber zurückgestoßen. Pugg vermutet, dass sich der Mann vielleicht daran erinnerte, dass Pugg den Preis für seine Reifen ein wenig angehoben hatte.«

»Erinnerst du dich an noch jemanden, der das Gebäude betreten hat?«

»Eine sehr hübsche, sehr große Frau. Sie sah ein wenig aus wie eine riesige Judy Garland. Wenn Pugg sich nicht bereits für dich entschieden hätte, wäre Pugg ihr nachgegangen.«

»Eine riesige Judy Garland – das kommt mir bekannt vor«, meinte Cate. »Sie ist ein Mann.«

»Pugg ist sicher, dass du dich irrst. Pugg hätte bei ihrem Anblick beinahe eine Erektion bekommen. Und Pugg wäre bestürzt, wenn ihm wegen eines Mannes beinahe die Hose zu eng geworden wäre.«

»Ist die Frau vor dem Toten hier eingetroffen?«

»Ja. Sie kam in einem Wagen mit Chauffeur und hatte eines dieser Dinger, mit denen sich die Tür öffnen lässt.«

»Hast du sie das Haus wieder verlassen sehen?«

»Nein. Pugg ist heimgegangen, nachdem der tote Mann ihm mit der Polizei gedroht hat, falls Pugg noch einmal versuchen würde, das Haus zu betreten.«

Die Arbeit in einer Bar war manchmal mit Autofahren zu vergleichen, sinnierte Cate. Ohne es wirklich wahrzunehmen, schaltete man den Autopiloten ein, und bevor man sich's versah, befand man sich bereits in der Garage und konnte sich nicht daran erinnern, wie man dorthin gelangt war. Cate arbeitete heute Abend mit Autopilot. Sie lief von einem Ende der Theke zum anderen, schenkte Getränke nach, unterhielt sich mit den Gästen und dachte dabei die ganze Zeit über Marty nach. Falls er wieder in der Stadt war (und Cate war sich relativ sicher, dass er zurückgekommen war), wo hielt er sich auf? Welche Rolle hatte er bei Irwins Tod gespielt? Und was war mit dem verschwundenen Messer geschehen?

Cate schrie erschrocken auf, als sich eine Hand um ihr Handgelenk legte.

»Erde an Cate«, sagte Kellen. »Du hast mir soeben ein Glas Chardonnay hingestellt. Und darin schwimmen zwei Oliven.«

»Ich war mit den Gedanken woanders.« Cate tauschte das Weinglas gegen ein Bier aus. »Mir gehen so viele Dinge durch den Kopf.«

»Möchtest du mir etwas darüber erzählen?«

Cate berichtete ihm von der Unterhaltung mit Pugg.

»Heutzutage laufen nicht allzu viele riesige Judy Garlands durch die Gegend«, meinte Kellen.

»Was hast du vor, falls Marty tatsächlich zurückgekehrt sein sollte?«

»Ich werde in deiner Nähe bleiben. Du lebst in seiner Wohnung. Irgendwann wird er dort wieder auftauchen. Darauf würde ich jede Wette eingehen. Und ohne dich hat er keinen Zutritt mehr. Du hast die Schlüssel zu dem neuen Schloss.«

»Ich dachte, du hättest das Schloss zu meiner Sicherheit ausgetauscht.«

»Das auch«, erwiderte Kellen.

»Wenn Marty tatsächlich ein Meisterdieb ist, dann kennt er sich wahrscheinlich auch mit Schlössern gut aus.«

»An diesem Schloss wird er sich die Zähne ausbeißen. Er bräuchte einen Computer dafür. Und ich bezweifle, dass er die anderen nötigen Dinge bei sich hat. Soweit ich das beurteilen kann, ist Marty in der Lage, eine Tür aufzubrechen, aber nicht, einen Safe zu knacken. Marty ist ein Opportunist. Er hält Ausschau nach einer Halskette, die auf dem Waschtisch in einem Badezimmer vergessen wurde, oder nach einem unverschlossenen Safe. Das ist einer der Gründe, warum er bisher ungeschoren davongekommen ist. Er nimmt nur Dinge an sich, die sich jeder nehmen könnte, der den Raum betritt. Eine Serviererin vom Partyservice, ein Gast, ein Mitglied des Hauspersonals. Und Marty hat überall im ganzen Land zugeschlagen, so dass niemand ein Muster dahinter entdecken konnte. Niemand tippte auf einen professionellen Dieb.«

»Nur du.«

»Vor einem knappen Jahr wurde ich angeheuert, um ein Paar Ohrringe zu finden, die in einem Haus im Staat New York gestohlen worden waren. Sie waren während einer Party abhandengekommen, und ich habe mich eingehend mit der Gästeliste beschäftigt. Martys Name stand auch darauf. Er war für einen Auftritt engagiert worden. Meinem jetzigen Kunden wurde während einer Wohltätigkeitsveranstaltung eine Halskette gestohlen, und auf der Gästeliste sprang mir sofort Martys Name ins Auge. Es ist mir gelungen, eine Auflistung seiner Engagements der letzten beiden Jahren zu bekommen, und ich entdeckte, dass sich eine ungewöhnlich hohe Anzahl von Diebstählen mit seinen Auftritten in Verbindung bringen ließ.«

»Kann man mit dem gelegentlichen Diebstahl von Halsketten so viel Geld machen, dass sich das Risiko lohnt?«

»Ich habe siebzehn Diebstähle in zwei Jahren gezählt. Und wahrscheinlich habe ich nicht alles entdeckt. Von diesen siebzehn gestohlenen Gegenständen waren nur sechs weniger wert als hunderttausend Dollar. In den meisten Fällen wurden mehrere Stücke entwendet – und Bargeld. Bei drei Fällen war der Schaden siebenstellig. Marty hat wohl kaum den gesamten Gegenwert der Schmuckstücke erzielt, aber sicher eine beachtliche Summe zusammengetragen. Immerhin hat es für seinen Porsche und die Kunstgegenstände in seiner Wohnung gereicht.«

Cate ging an der Theke entlang, füllte Gläser nach und kassierte bei einigen Gästen ab. Dann kehrte sie zu Kellen zurück und tauschte seine leere Schale mit Nüssen gegen eine frisch gefüllte aus. »Weißt du, wie Marty den Schmuck zu Geld macht?«

»Nein, aber ich bin ziemlich sicher, dass er ihn nicht vor Ort verkauft. Ich vermute, dass die größeren Stücke außer Landes gebracht werden.«

»Aber ist das nicht sehr kompliziert? Bei all den Sicherheitsüberprüfungen am Flughafen und so weiter?«

»Die Sicherheitsbehörden suchen nach Bomben, nicht nach Halsketten«, entgegnete Kellen. »Der Hehler kauft den Schmuck wahrscheinlich im Inland auf, verkauft ihn dann aber – wenn auch nicht in einem Stück – in Europa oder Südamerika.«

»Ich bin davon ausgegangen, eine sichere Unterkunft zu haben, bis ich mit dem Studium fertig bin und als Lehrerin arbeiten kann. Und nun finde ich heraus, dass ich mit einem Dieb unter einem Dach lebe. Hältst du Marty für gefährlich?«

»Unter normalen Umständen nicht. Unter Druck möglicherweise. Marty soll doch morgen Abend hier auftreten. Weißt du, ob er storniert hat?«

»Ich habe Evian gefragt«, antwortete Cate. »Marty hat seinen Auftritt nicht abgesagt.«

»Falls er auftreten wird, wird er mit großer Wahrscheinlichkeit heute oder morgen in die Wohnung kommen. Seine Kleidung und sein Make-up befinden sich dort.«

»Bei dem Gedanken daran dreht sich mir der Magen um. Ich bin die schlechteste Schauspielerin auf der ganzen Welt. Und eine furchtbare Lügnerin. Er wird mir sofort anmerken, dass etwas nicht stimmt. Und ich kann es nicht umgehen, mit ihm zu reden. Schließlich ist sein Agent letzte Nacht in unserem Treppenhaus zu Tode gekommen. Das muss ich wohl oder übel erwähnen. Und das Schlimmste an allem ist ... Ich kann den Gedanken nicht ertragen, Biest hergeben zu müssen. Er schläft in meinem Bett. Und er ist knuddelig. Und ein guter Zuhörer. Und ich glaube, dass er mich mag.«

Kellen seufzte tief. »Ich wünschte, du hättest soeben mich beschrieben.«

»Ich habe Angst, dass Marty zurückkommt und Biest

mitnimmt.« Eine Träne quoll hervor und rollte über Cates Wange. »Mist«, flüsterte sie.

Kellen wischte die Träne mit einer Fingerspitze weg. Nun war es offiziell. Er war in Cate Madigan verliebt. Es war ihm egal, was er dafür würde tun müssen, aber er würde dafür sorgen, dass alles ins Lot kam. Und auf keinen Fall würde Cate ihren Hund hergeben müssen. »Wir werden alles regeln.«

»Wir?«

»Ja. Du und ich. Wir sind doch ein Team, nicht wahr?«

»Vielleicht«, erwiderte Cate. »Ich bin mir nicht sicher, inwieweit ich dir vertrauen kann.«

»Sprechen wir über Berufsethos oder über Sex?«, fragte Kellen.

»Über beides.«

»Das ist einfach. Mein Berufsethos steht außer Frage. Und was Sex angeht, solltest du mir keinesfalls trauen, weil ich verrückt nach dir bin.«

»Meine Güte.«

Kapitel 11

»Das ist keine gute Idee«, erklärte Cate.

»Hast du eine bessere?«, wollte Kellen wissen.

»Nein.«

»Dann bleibe ich bei dir. Wir halten kurz bei mir an, damit ich ein paar Kleidungsstücke einpacken kann, und dann werde ich für einige Tage bei dir und Biest einziehen.« Es war kurz nach elf, und Kellen hielt Cates Hand und zog sie mit sanfter Gewalt an ihrem Wohnhaus vorbei. »Ich wohne nur ein paar Blocks von hier entfernt.«

»Was soll ich Marty sagen, wenn er nach Hause kommt?«

»Du sagst ihm, dass du mich mehr liebst als dein Leben und es nicht ertragen kannst, von mir getrennt zu sein.«

»Und deshalb schläfst du auf der Couch?«

»Ich werde nicht auf der Couch schlafen, sondern bei dir im Bett liegen und mich so benehmen, als hätte ich mich vollkommen unter Kontrolle.«

Na gut, aber was ist mit mir?, dachte Cate. Was, wenn es mir an Selbstkontrolle fehlt?

Kellen blieb vor einem Sandsteinhaus stehen und steckte seinen Schlüssel in das Schloss.

»Das ist ein tolles Haus«, bemerkte Cate. »Zweistöckig. In einer der hübschesten Straßen im South End.«

»Ich mache meinen Job sehr gut«, meinte Kellen. »Ich werde gut dafür bezahlt, meine Augen offen zu halten. Und noch besser dafür, Gegenstände wiederzubeschaffen. Es sieht noch ein wenig kahl aus. Ich bin erst vor einem Monat eingezogen und hatte noch nicht viel Zeit, um mich um die Inneneinrichtung zu kümmern.«

Durch die Haustür gelangte man in einen kleinen Eingangsbereich. Links davon lag das Wohnzimmer und rechts das Esszimmer. Eine Treppe mit elegant geschwungenem Holzgeländer führte in den ersten Stock. Die Böden waren aus poliertem Mahagoni. Im Wohnzimmer hatte Kellen einen großen Fernsehapparat mit Flachbildschirm über den aufwändig gearbeiteten Kamin gehängt. Vor dem Kamin lag ein orientalischer Teppich, auf dem ein großer Glastisch und eine einladende Ledercouch mit Blickrichtung auf den Fernseher standen. Das Esszimmer war unmöbliert.

»Ich bin in einer Minute wieder da«, sagte Kellen. »Mach es dir gemütlich. Ich gehe nach oben und packe ein paar Sachen in meine Sporttasche.«

Cate schlenderte durch das Esszimmer und in die Küche. Sie war doppelt so groß wie die in Martys Wohnung. Die neuen Arbeitsflächen waren aus Granit und die Küchengeräte aus Edelstahl. Alles wirkte wie unberührt. Der Herd war makellos sauber. Keine Fettspritzer auf dem Kochfeld. Die Schränke über der Arbeitsplatte waren leer. Kein Geschirr. Keine Gläser. Kein Besteck. Sie warf einen Blick in den Kühlschrank. Bier, Orangensaft, Brot, Erdnussbutter. Neben der Erdnussbutter lag ein Buttermesser im Kühlschrank.

Kellen kam mit einer Sporttasche in der Hand in die Küche.

»Es hat sich herausgestellt, dass ich kein besonders häuslicher Typ bin«, erklärte er. »Ich hätte gern ein richtiges Zuhause mit Plätzchen auf dem Tisch, einer Kaffeemaschine und einer Schublade mit sauberen Socken, aber ich weiß nicht, wo ich anfangen soll. Während ich mein Geschäft aufgebaut habe, war ich immer unterwegs und blieb immer nur so lange an einem Ort, wie mein Job es erforderte. Daher besitze ich bisher nur ein Buttermesser.«

»Hast du die Möglichkeit, länger hierzubleiben?«

»Ja. Meine Aufgaben verändern sich. Ich kann mittlerweile alle Voruntersuchungen am Computer und per Telefon im Büro im ersten Stock erledigen. Und ich habe zwei Ermittler, die für mich die Laufarbeit machen. Also gehören meine Tage auf der Straße hoffentlich der Vergangenheit an. Zumindest werde ich nicht mehr so oft unterwegs sein.«

»Das Haus ist wirklich hübsch. Und die Küche ist fantastisch.«

Kellen wurde mit einem Mal blitzartig klar, was in diesem Haus fehlte. Es waren nicht die Plätzchen und die Kaffeemaschine, die aus diesem Haus ein Heim machen würden. Es waren eine rothaarige Frau und ein großer, tollpatschiger Hund.

Zehn Minuten später standen Cate und Kellen wieder vor dem Haus, in dem Marty wohnte. Pugg war ebenfalls da und hielt sich ein blutiges Taschentuch an die Nase.

»Was ist passiert?«, erkundigte sich Cate.

»Pugg war in der Nähe des Plattenladens am Ende der Newbury Street und sah, wie die riesige Judy Garland das Geschäft verließ. Also folgte Pugg ihr in gebührendem Abstand. Pugg wollte wissen, ob Judy irgendwelche männlichen Züge an sich hatte. Pugg folgte Judy einige Blocks, bis Judy die Straße überquerte und in die Commonwealth Avenue einbog. Und Pugg ging hinter ihr her. Bis dahin war Pugg der Überzeugung, dass Judy im wahrsten Sinne des Wortes eine Lady war. Sie war sehr geschmackvoll gekleidet und bewegte sich absolut damenhaft.«

»Judy Garland?«, fragte Kellen.

»Marty«, erklärte Cate.

Pugg presste die Lippen aufeinander, als er hörte, dass Judys Name Marty sein könnte. »*Judy* blieb vor einem Stadthaus stehen und wollte mit ihrem Schlüssel die Haustür aufsperren, als plötzlich diese schreckliche blonde Frau hinter den Büschen hervorsprang. Sie sagte, sie habe gewusst, dass Judy auftauchen würde. Und sie wisse auch, dass Judy das Geschäft in den Sand gesetzt hätte. Und Judy wirkte sehr erschrocken. Pugg war klar, dass

Judy sich nicht gegen diese blonde Frau zur Wehr setzen konnte, also mischte Pugg sich ein. ›Verzeihen Sie‹, sagte Pugg zu Judy. ›Brauchen Sie Hilfe?‹ Und diese blonde Frau sagte zu Pugg, er solle verschwinden, und schlug Pugg auf die Nase.«

»Und bist du verschwunden?«, wollte Kellen wissen.

»Ja. Pugg hat heftig geblutet. Und Pugg hat bemerkt, dass zwei große Männer neben dem Haus im Schatten standen. Pugg nimmt an, dass sie zu der blonden Frau gehörten.«

»Also hast du Judy im Stich gelassen?«, fragte Cate.

»Wie eine Ratte das sinkende Schiff«, gestand Pugg. »Aber Pugg hat mit seinem Handy die Polizei angerufen. Und dann ist Pugg hierhergekommen, um dir alles zu erzählen. Dein Name steht nicht auf dem Klingelbrett, aber Pugg hätte überall geläutet, bis er dich gefunden hätte.«

»Pugg ist beunruhigend hartnäckig«, meinte Cate.

»Darauf kannst du wetten«, bestätigte Pugg.

Oben streckte Julie den Kopf aus dem Fenster. »Hallo, zusammen. Was ist dort unten los? Unterhaltet ihr euch mit dem reizenden, haarigen kleinen Mann?«

»Meinst du damit etwa Pugg?«, fragte Pugg.

»Ich weiß nicht«, erwiderte Julie. »Was ist ein Pugg?«

»Ich bin Pugg«, erklärte er.

»Und ich dachte, Pugg sei ein kleiner Hund«, sagte Julie. »Warum hältst du dir das Taschentuch an die Nase?«

»Pugg wurde verletzt, als er versuchte, einer Dame in Not zu helfen.«

»Armes Ding«, meinte Julie. »Komm rauf, dann lege ich dir ein wenig Eis auf. Geh einfach zur Tür, dann lasse ich dich ins Haus, Schätzchen.«

Pugg wandte sich an Cate. »Pugg hofft, du hast Verständnis dafür, wenn er sich von dir abwendet. Pugg hat den Eindruck, dass er bei der Frau am Fenster Chancen hat.«

Cate und Kellen folgten Pugg in Julies Wohnung.

»Diesen Kerl kann ich dir nicht empfehlen«, erklärte Cate Julie. »Er ist schlimmer als Fußpilz.«

»Vielleicht ist er nur ein ungeschliffener Diamant«, meinte Julie. »Und sicher ist es nicht einfach, ein Pugg zu sein. Ist das ein fremdes Land?«, fragte sie Pugg.

»Pugg ist ein Name. Patrick Pugg. Pugg spricht nicht in der Ich-Form. Pugg nennt sich selbst immer Pugg.«

»Damit fällst du den anderen sicher auf die Nerven.«

»Unsinn«, entgegnete Pugg. »Pugg ist charmant. Ein reizender Mann.«

»Pugg sollte aufhören, so zu reden, oder ich werde ihm einen so kräftigen Stoß zwischen die Beine verpassen, dass seine Weichteile durch seinen haarigen kleinen Körper bis in seine Nasenlöcher schießen«, drohte Julie.

»Das klingt unangenehm«, meinte Pugg.

Julie drückte ein nasses Handtuch auf Puggs Gesicht. »Mein Onkel Lester bekam einmal einen Tritt in die Eier, von dem seine gesamte Körperbehaarung schneeweiß wurde. Er sah aus wie einer dieser Albinos«, erzählte sie. »Das war, kurz nachdem er einen Job in einer Chemiefabrik bekommen hatte und in ein großes Fass mit Formaldehyd gefallen war. Lester gehörte zu den Menschen, die, wenn sie schon kein Pech hatten, auch kein Glück hatten.«

»Was ist aus Lester geworden?«, wollte Pugg wissen.

»Erstaunlicherweise ist er nicht daran gestorben«, erklärte Julie. »Aber er benahm sich danach sehr merkwürdig. Und der Geruch nach Formaldehyd verschwand nie. Man wusste immer genau, wann Onkel Lester sich im Raum befand. Es roch dann wie in einem Biologielabor, wenn die Gläser mit den eingelegten Fröschen geöffnet wurden.«

»Das ist eine sehr seltsame Geschichte«, meinte Pugg.

»Nicht in meiner Heimatstadt«, erwiderte Julie. »Bei uns sind eine Menge Menschen dort geboren, wo der Wind von dem Atomkraftwerk herüberweht, und von diesen Leuten gibt es einige Geschichten zu erzählen.«

»Hast du die Adresse von dem Stadthaus an der Commonwealth Avenue?«, fragte Kellen Pugg.

»Pugg hat … hoppla!« Pugg legte rasch die Hände auf seinen Schritt. »Pugg wollte sagen: *Ich! Ich* habe die Hausnummer nicht gesehen, aber ich kenne das Haus. Es liegt in dem Block zwischen Gloucester und Hereford Street. Auf der Straßenseite gegenüber vom Prudential Center. Und es ist leicht zu finden, weil die Haustür rot ist.«

Kellen trat einen Schritt zurück und betrachtete das Stadthaus vor ihm. Wenn man das Erdgeschoss mitzählte, hatte es vier Etagen. Ein klassisches Sandsteinhaus. Frisch renoviert. Um ein Uhr morgens waren alle Fenster dunkel. Das Haus lag an der Commonwealth Avenue zwischen der Gloucester Street und der Hereford Street. Es hatte eine rote Haustür. Kellen griff in seine Tasche und zog Martys Schlüssel hervor. Er steckte ihn in das große Messingschloss, konnte ihn aber nicht drehen. Er wandte sich um, warf Cate einen Blick zu und zuckte die Schultern.

Cate befand sich drei Meter vom Haus entfernt auf dem Gehsteig und stand Schmiere für Kellen. Ihr fiel auf, dass er auf beunruhigende Weise sehr vertraut mit den Tätigkeiten eines Einbrechers wirkte. Eigentlich schien er mit einer Menge Fähigkeiten vertraut zu sein, die Cate normalerweise bei einem Mann erschreckend finden würde – und dazu gehörte nicht zuletzt geschicktes Lügen. Kellen McBride-Koster war bei Weitem der beste Lügner, den Cate jemals kennengelernt hatte. Und trotzdem fühlte sie sich mehr und mehr zu ihm hingezogen. Er war charmant, selbstbewusst und klug. Und er war bereit dazu, den Helden zu spielen, wenn es nötig war.

Er stand im Schein des Mondlichts, und Cate schoss der Gedanke durch den Kopf, wie sexy er in seiner dunklen Jeans und dem schwarzen Hemd mit den hochgekrempelten Ärmeln aussah. Die Worte ihrer Mutter klangen ihr in den Ohren: *Schone Menschen brechen dir das Herz.* Und dann fielen ihr Julies Worte ein: *Du solltest mal*

eine Probefahrt mit ihm riskieren. Cate biss sich auf die Unterlippe. Sie tendierte eher dazu, Julies Rat zu folgen.

»Von hier aus ist es nicht genau zu erkennen, aber ich
glaube, das Haus zwei Eingänge weiter hat ebenfalls eine
rote Tür«, rief Cate Kellen leise zu.

Kellen schlich vorsichtig zu Cate hinüber und warf einen Blick die Straße hinunter. »Ich schätze, Rot ist eine
beliebte Farbe für Türen.«

Auch bei der zweiten Tür hatte Kellen kein Glück,
aber bei dem dritten Haus ließ sich der Schlüssel im
Schloss drehen. Die dritte rote Tür befand sich in einem
der kleineren Häuser in dem Block. Das Haus lag tief
im Schatten. Nur ein schmaler Lichtstrahl von der gas-
betriebenen Laterne am Randstein fiel auf das Gebäude,
und einige Mondstrahlen, die durch die Blätter der Bäu-
me drangen, trafen auf den winzigen Vorgarten.

»Okay, jetzt wissen wir, dass es sich um dieses Haus
handelt«, stellte Cate fest. »Was nun?«

»Jetzt hoffen wir, dass er nicht zu Hause ist«, erwiderte
Kellen. Er drückte mit dem Finger auf die Türklingel.
»Mich kennt er nicht. Wenn er die Tür öffnen sollte, werde ich so tun, als sei ich betrunken und hätte mich verlaufen. Du solltest dich besser im Gebüsch verstecken.«

Cate schlich zu den Büschen neben dem Haus, kauer-
te sich hinter eine Azalee und hielt den Atem an.

Kellen klingelte wieder. Und noch einmal.

»Niemand zu Hause«, erklärte er. Dann öffnete er die
Tür und bedeutete Cate, ihm zu folgen.

Cate kroch hinter den Büschen hervor und lief hinter Kellen her in das Haus. In dem dunklen Eingangsbereich blieb sie stehen, als sie einen Piepton hörte, und lauschte. »Was ist das?«, fragte sie.

»Der Alarm.« Kellen griff nach ihrer Hand. »Er wird gleich losgehen. Nicht erschrecken, es wird laut werden.«

Der Alarm heulte los, und Kellen legte seine Arme um Cate und zog sie an sich. Seine Lippen streiften ihr Ohr.

»Ich spüre dein Herz rasen«, flüsterte er.

»Die Polizei wird kommen und uns ins Gefängnis werfen.«

»Das ist unwahrscheinlich. Sie werden die Haustür und die Hintertür überprüfen und feststellen, dass alle abgeschlossen sind. Dann werden sie mit ihren Taschenlampen durch die Fenster leuchten, sehen, dass alles in Ordnung ist und keine Anzeichen von einem Einbruch erkennbar sind. Und wieder verschwinden. Der Betreiber des Alarmsystems wird jemanden verständigen, höchstwahrscheinlich Marty, aber es wird eine Weile dauern, bis er hier ist, um der Sache nachzugehen. Falls er überhaupt erscheint. Bis dahin werden wir bereits verschwunden sein.«

»Du hast so etwas schon einmal gemacht.«

»Ich gestehe gar nichts.«

Irgendwo im Haus klingelte ein Telefon.

»Das ist die Alarmsystem-Firma«, meinte Kellen. »Wenn sich niemand meldet, benachrichtigen sie die Polizei.«

Er öffnete den Garderobenschrank und schob Cate hinein. »Bleib hier und halte die Tür geschlossen, bis ich dich hole. Allein kann ich mich schneller im Haus bewegen.«

In dem Schrank hingen zwei Mäntel, und Cate erkannte den Duft von Martys Parfum. Also war es sein Haus, und sie waren dort eingebrochen. Okay, sie hatten einen Schlüssel, aber den hatten sie eigentlich gestohlen. Sie schlüpfte hinter die Mäntel und versuchte, sich ruhig zu verhalten. Das Herz schlug ihr immer noch bis zum Hals. Für so etwas bin ich nicht geschaffen, dachte sie. Ich wollte nie James Bond sein. Schon immer wäre ich lieber Mr. Rogers gewesen. Das Telefon klingelte nicht mehr, aber die Alarmanlage schrillte immer noch. In dem Schrank war es stockdunkel. So dunkel, dass Cate das Ziffernblatt ihrer Armbanduhr nicht erkennen konnte. Und dann brach der Alarm ab, und es herrschte eine bedrückende Stille.

Cate atmete flach und lauschte. Sie hörte jemanden an der Haustür rütteln. Ihr schnürte sich die Kehle zu. Wahrscheinlich würde sie sich gleich übergeben müssen und dann ohnmächtig werden. Und wenn sie das Bewusstsein wiedererlangte, würde sie nie wieder ein Wort mit Kellen sprechen. Was zum Teufel fiel ihm eigentlich ein? Normale Menschen taten so etwas nicht. Das war Einbruch. Es war verrückt!

Das Rütteln an der Haustür hörte auf, und Cate blieb wie zur Salzsäule erstarrt stehen. Langsam normalisierte sich ihr Pulsschlag, und sie ließ sich gegen die Schranktür sinken und wartete. Und dann ging ohne Vorwarnung der Alarm wieder los. Sie hörte Schritte auf der Treppe, die Schranktür wurde aufgerissen, und Kellen griff nach ihr.

»Wir verschwinden von hier«, sagte er. »Durch die Küchentür. Von dort aus gelangen wir auf eine kleine Straße hinter dem Haus.«

»Es ist stockdunkel hier. Wie kannst du überhaupt etwas erkennen?«

»Mit der Stiftlampe.« Kellen bewegte die Hand hin und her.

Cate sah nach unten und entdeckte den Lichtfleck auf dem Boden. Sie war so aufgeregt, dass sie ihn vorher nicht bemerkt hatte.

Kellen zog sie rasch in den Flur und dann durch das Haus in die Küche. Durch die Küchentür gelangten sie auf eine kleine, eingezäunte Veranda und von dort aus durch die Terrassentür auf einen schmalen, dunklen Weg, der hinter den Häusern vorbeiführte. Sie befanden sich zwei Häuser von der Gloucester Street entfernt. Cate sah die Straßenlaternen am Ende des Wegs. Kellen hielt sie noch immer fest an der Hand und zog sie mit sich. Er begann zu laufen. Beide trugen Sportschuhe und rannten beinahe geräuschlos auf die Gloucester Street zu. Sie überquerten die Straße beim Prudential Center und liefen dann in Richtung South End.

Als sie die Boylston Street erreicht hatten, sah Cate

den Streifenwagen. Er kam mit Blaulicht, aber ohne Sirene auf sie zu. Kellen schlüpfte in den Schatten eines Hauseingangs, zog Cate heftig an sich und küsste sie. Der Polizeiwagen verlangsamte die Fahrt, rollte aber, ohne anzuhalten, an ihnen vorbei. Der Kuss war nicht gerade romantisch, da beide mit weit geöffneten Augen den Streifenwagen beobachteten.

»Ich würde gern stehen bleiben und dir einen leidenschaftlicheren Kuss schenken, aber wir müssen weiter«, erklärte Kellen.

»Was ist in dem Haus geschehen?«

Kellen verfluchte sich im Stillen dafür, dass er nicht vorsichtiger gewesen war und damit Cate in Gefahr gebracht hatte. »Das Alarmsystem hat sich reaktiviert, und ich habe die Bewegungsmelder ausgelöst. Es wäre schön gewesen, ein wenig mehr Zeit zu haben, aber ich habe herausgefunden, was ich wissen wollte.«

Sie gingen Hand in Hand die Boylston Street entlang und wirkten wie ein Pärchen auf dem Nachhauseweg nach einer Verabredung zu später Stunde. An der Dartmouth Street bogen sie in Richtung Columbus Avenue ab, und Cate begann, sich endlich zu entspannen.

»Marty benutzt dieses Haus«, erklärte Kellen. »Aber es ist wohl eher eine Zwischenstation statt eines zweiten Zuhauses für ihn. Ich habe keine teuren Kunstwerke entdeckt, und die Möbel sind nicht nach Martys Geschmack. Er bewahrt zwar Kleidungsstücke dort auf, aber nur einige wenige. Im Badezimmer befindet sich nur das Nötigste. Keine Kondome, soweit ich sehen konnte, also benutzt er das Haus auch nicht zu seinem Vergnügen. Es sah nicht so aus, als würde er es mit jemandem teilen. Der Kühlschrank war leer. Im oberen Stockwerk habe ich einen Wandsafe gefunden, aber er stand offen und war leer. Auf dem Bett lag ein Koffer. Er war teilweise ausgepackt. Ich nehme an, Marty wurde erwischt und ist bisher nicht zurückgekommen.«

»Erwischt? Von Kitty Bergman?«

»Das vermute ich. Und ich wette, wenn ich die Steuerunterlagen überprüfe, werde ich feststellen, dass das Haus der Bergman gehört.«

»Das verstehe ich nicht. Ich begreife das alles nicht. Warum um alles in der Welt ist Kitty Bergman in so etwas verwickelt? Sie ist reich und hat großen Einfluss in der Gesellschaft. Ich weiß, dass sie mit Marty befreundet war, aber ich dachte immer, sie würden lediglich gemeinsam Klamotten einkaufen.«

»Vielleicht ist ihr Wohltätigkeit zu langweilig.«

»Glaubst du, wir sollten versuchen, Marty zu retten?«

»Meine Aufgabe ist es nicht, Leute zu retten, sondern Wertgegenstände wiederzubeschaffen. Marty ist auf sich allein gestellt – zumindest heute Nacht.«

Kapitel 12

Kellen stand in einem weiten grauen T-Shirt und dunkelblauen Boxershorts vor Cate und stemmte die Arme in die Hüften. Die Shorts sahen neu aus und trugen ein Muster aus kleinen gelbgrünen Palmen. »Was zum Teufel hast du da an?«, fragte er. »Du siehst aus, als würdest du nach Alaska aufbrechen.«

Sie standen vor Cates Bett. Cate trug Socken, eine Jogginghose und ein Sweatshirt mit Kapuze. Das Gegenstück eines Keuschheitsgürtels im 21. Jahrhundert.

»Das trage ich immer, wenn ich zu Bett gehe«, behauptete Cate. Im Januar. Und wenn ich mich mit einem Mann ins Bett lege, mit dem ich noch nicht zu schlafen bereit bin.

Kellen grinste. »Du kannst davonlaufen, aber du kannst dich nicht verstecken.«

»Was soll das heißen?«

Kellen schlüpfte unter die Decke. »Das heißt, dass du eine Weile eine Beziehung mit mir abwehren kannst, dass ich am Ende jedoch gewinnen werde.«

Kellen wollte Cate nicht überrumpeln, aber seit ihrem gemeinsamen Einbruch in der Nacht, dem Abendessen mit ihrer Familie und dem Picknick am Morgen, bei dem sie ihren riesigen Hund mit Sandwiches gefüttert hatte, ging Kellen der Gedanke an eine feste Beziehung nicht mehr aus dem Kopf. Jawohl, dachte Kellen. Hier ging es nicht nur ums Bett. Er wollte das ganze Paket. Kellen dachte an Heirat. War das nicht erstaunlich?

Obwohl die Klimaanlage lief, begann Cate zu schwitzen. Und das lag nicht an leidenschaftlichen Gefühlen, sondern an dem Baumwollvlies.

»Jetzt sag mir noch einmal, warum du unbedingt in meinem Bett schlafen musst.«

»Ich habe versucht, auf der Ledercouch zu schlafen, aber sie ist zu glatt. Ich bin immer wieder heruntergerutscht. Und wir waren uns einig, dass ich nicht in Martys Zimmer schlafen kann, denn er würde uns nicht abnehmen, dass wir ein Paar sind, falls er es herausfinden würde. Und davon abgesehen ist das alles Unsinn. Ich liege in deinem Bett, weil ich in deinem Bett liegen will.«

»Wie auch immer«, sagte Cate. »Aber du liegst auf meiner Seite. Kannst du zumindest rüberrutschen?«

»Das geht nicht. Dort schläft dein Hund.«

Biest hatte sich mit dem Kopf auf dem Kissen ausgestreckt und schlief tief und fest. Als Cate versuchte, ihn an die Bettkante zu schieben, öffnete er ein Auge und knurrte.

»Das war nicht als Drohung gemeint«, erklärte Cate.

»Natürlich nicht.«

»Biest«, flüsterte Cate dem Hund ins Ohr. »Wach auf. Du musst zur Seite rücken.«

Biest öffnete halb die Augen.

»Das arme Baby ist müde«, meinte Cate.

»Ich bin auch müde«, erklärte Kellen. »Ich wünschte, du würdest dich endlich ins Bett legen.«

»Also gut, in Ordnung!« Cate kletterte über Kellen und zwängte sich zwischen ihn und Biest.

»Bequem?«, fragte Kellen.

»Ja. Und für dich?«

»Für mich auch.« Er knipste das Licht aus.

In Wahrheit fühlte Cate sich ganz und gar nicht wohl. Sie fühlte sich, als würde sie gebraten. Schweißtropfen liefen ihr über die Schläfen. Sie versuchte, eine kühle Stelle auf dem Laken zu finden, aber es gelang ihr nicht, sich freizustrampeln.

»Was ist los?«, erkundigte sich Kellen.

»Wie bitte?«

»Du zappelst herum wie ein Fisch ohne Wasser.«

»Ich fühle mich wie gefangen – ich bekomme keine Luft.«

Kellen schaltete das Licht wieder an und musterte sie. »Du kannst nicht atmen, weil du in diesem dummen Jogginganzug steckst. Was trägst du darunter?«

»Ein Top und meine Unterwäsche.« Ihre Unterwäsche bestand nur aus einem Tanga aus pinkfarbener Spitze, aber das wollte sie Kellen lieber nicht verraten.

»Das ist doch lächerlich. Du siehst aus, als würdest du gleich einen Hitzschlag erleiden.« Kellen griff nach dem gerippten Saum ihres Sweatshirts, und zwei Sekunden später hatte er es über Cates Kopf gezogen und auf den Fußboden geworfen. »Besser?«, fragte er.

»Ja, aber ...«

»Und jetzt zieh die Socken und die Hose aus.«

»Auf keinen Fall!«

»Muss ich dich mit Gewalt herausschälen?«

»Meine Güte«, seufzte Cate und streifte die Socken und die Jogginghose ab. »Wie habe ich mich nur in dieses Dilemma gebracht?«

»Erst einmal hast du dir den falschen Mitbewohner ausgesucht.«

»Er schien ein sehr netter Kerl zu sein.«

»Nur weil er Schmuck stiehlt, ist er noch lange kein netter Kerl.«

Cate legte sich wieder zwischen Kellen und Biest, und Kellen knipste zum zweiten Mal das Licht aus. Zwei Minuten lang lagen alle steif und bewegungslos da. Dann stieß Kellen einen tiefen Seufzer aus.

»Dieses Bett ist zu klein«, klagte er. »Jetzt ist dein ganzer Körper gegen meinen gepresst.«

»Und?«

»Und du bist so seidig, weich und warm. Und ich fühle mich wirklich unbehaglich.«

»Es war nicht meine Idee, in einem Bett zu schlafen. Und den Jogginganzug wollte ich auch nicht ausziehen.«

»Also gut, wie wäre es damit: Wir verloben uns.«

»Verloben? Bist du verrückt geworden? Ich kenne dich kaum.«

»Schätzchen, in ein paar Minuten wirst du mich sehr gut kennen.«

»Warst du jemals verheiratet?«, erkundigte sich Cate.

»Nein.«

»Hast du Kinder?«

»Nein.«

»Krankheiten?«

»Nein. Und ich habe noch alle meine Zähne. Ich habe keine Einträge in meinem Führungszeugnis. Und mein Cholesterinspiegel ist perfekt.«

»Das ist alles gut zu wissen«, meinte Cate. »Und was denkst du über die Einheitssteuer?«

»Oh, zum Teufel damit.« Kellen drehte sich zu Cate um, legte ein Bein über ihre Schenkel und zog sie in seine Arme.

»Und wie steht es mit Verhütung?«, fragte sie.

»Darum kümmere ich mich«, erwiderte Kellen.

Cate ließ ihre Hand über Kellens flachen Bauch gleiten und fuhr mit dem Daumen unter das Gummiband seiner Boxershorts. Sie konnte ein nervöses Kichern nicht unterdrücken. Da schien es viel zu geben, um das er sich würde kümmern müssen.

Kellen rückte noch näher, und seine Hände wanderten unter ihr T-Shirt und strichen sanft über die weichen, reizempfindlichen Körperstellen. Seine Lippen folgten seinen Fingerspitzen, bis er eine Hand unter den kleinen pinkfarbenen Tanga aus Satin gleiten ließ, ihn an Cates Beinen hinunter bis über ihre wohlgeformten

Füße schob und vor dem Bett auf den Fußboden fallen ließ.

Biests Kopf schoss nach oben, und innerhalb einer halben Sekunde war er auf dem Boden und hatte den pinkfarbenen Tanga im Maul.

Die romantische Stimmung war blitzartig verflogen. Cate setzte sich auf und starrte Biest entsetzt an. Ein schmales Gummiband hing wie ein Stück Zahnseide aus seinem Maul.

Kellen deutete mit dem Finger auf Biest. »Lass das sofort fallen!«

Ein lautes Schluckgeräusch, und das Gummiband war verschwunden.

»Er hat meine Unterwäsche gefressen! Meinen Lieblingstanga! Was sollen wir jetzt tun? Er könnte daran ersticken. Kannst du den Heimlich-Griff anwenden? Sollten wir ihn zu einem Tierarzt bringen? Ob das Angell Memorial einen Unfallwagen schickt?«

»Mach dir keine Sorgen. Es geht ihm gut. Es tut mir leid, dass du deinen Lieblingstanga verloren hast, aber das kleine Stück Stoff, das du Unterwäsche nennst, führt bei einem sechzig Kilo schweren Hund nicht zum Erstickungstod. Für ihn war es lediglich ein kleiner Snack.«

Cate dachte daran, welchen Weg ihr Höschen nehmen würde, und hielt es für besser, nicht danach zu suchen.

»Zumindest liegt Biest jetzt nicht mehr im Bett.« Kellen hatte wieder dieses wölfische Grinsen aufgesetzt. »Ich brauchte ohnehin mehr Platz, um mein Bestes geben zu können.«

Seine Finger fanden wie auf magische Weise Cates empfindsamste Körperstellen, und ihre Sorgen waren vorübergehend wie weggewischt. Das war eindeutig ein Mann, der noch andere Talente und Fähigkeiten besaß, als in ein Haus einzubrechen und Hunde zu trainieren.

Cate stand unter der Dusche und genoss den harten Wasserstrahl. Es war früh am Morgen, und sie war noch müde und verspürte einen leichten Muskelkater an Stellen, die sie wohl eine Weile nicht beansprucht hatte. Wenn sie ganz ehrlich zu sich selbst war, hatte sie offensichtlich einige Muskeln betätigt, die sie noch nie zuvor in Anspruch genommen hatte.

Sie schäumte ihr Haar ein und fragte sich, ob sie jetzt verlobt war. Kellen schien es tatsächlich ernst gemeint zu haben. Und sie hatte Angst davor nachzufragen. Sie war sich nicht sicher, was sie auf einen Antrag antworten sollte. Irgendwie befürchtete sie, dass sie ihn annehmen würde.

»Hallo«, rief Kellen ihr von der Badezimmertür aus zu. »Ich bin spät dran. Darf ich hereinkommen?«

Bevor Cate ihm antworten konnte, stand bereits ein großer junger Mann neben ihr unter der Dusche.

»Ich weiß nicht, ob hier Platz genug für dich ist«, meinte sie.

»Das hast du gestern Nacht auch gesagt, aber wir hatten keine Schwierigkeiten, oder?«

Cate schlug die Hand vor den Mund und unterdrückte ein Kichern.

»Ich hätte beinahe ein Treffen mit meinen Mitarbeitern vergessen«, erklärte Kellen und wusch sich rasch die Seife ab. Er küsste Cate, bevor er nach einem Handtuch griff. »Ich hoffe, ich habe nicht versprochen, dir Frühstück zu machen.«

»Ich habe noch eine Packung Keksschnitten in der Küche.«

»Das muss reichen«, meinte Kellen und eilte aus dem Badezimmer.

Cate schlüpfte in ihren Bademantel und folgte ihm. »Ich möchte dich um einen großen Gefallen bitten.«

»Alles, was du willst.«

»Ich bin beunruhigt wegen Biest – ich habe Angst, dass Marty zurückkommt und mir ihn wegnimmt.«

»Cate, ich weiß, dass du Biest ins Herz geschlossen hast, aber eigentlich gehört der Hund Marty.«

Allerdings war Kellen das egal. Wenn Cate Biest behalten wollte, dann sollte das auch so sein. Kellen würde alles tun, was in seiner Macht stand, um ihr dabei zu helfen.

»Er kennt Marty nicht«, fuhr Cate fort. »Und er ist doch noch ein Baby. Marty ist ein Dieb und vielleicht sogar ein Mörder. Möglicherweise war er es, der den Agenten die Treppe hinuntergestoßen hat.« Sie presste eine Träne aus dem Augenwinkel hervor. »Ein solcher Mann sollte keinen Hund wie Biest halten dürfen.«

Kellen grinste. »Es war sicher nicht leicht für dich, diese Träne hervorzuquetschen. Du versuchst, mich zu manipulieren.«

»Und gelingt es mir?«

»Ja.« Kellen streifte seine Socken über, zog sich seine Sportschuhe an und verknotete die Schnürsenkel. »Richte mir ein paar Sachen für ihn her. Du weißt ja, dass ich in einem großen Haus wohne, in dem es weder Lebensmittel noch Geschirr gibt. Am Vormittag ist mein Terminkalender voll, und soviel ich weiß, habe ich am frühen Nachmittag ein Meeting. Danach habe ich Zeit. Soll ich Biest in meinem Haus behalten, oder möchtest du, dass ich ihn heute Abend wieder hierherbringe?«

»Es wäre schön, wenn du ihn bei dir behalten könntest, bis sich die Dinge geklärt haben.«

Kellen war zwar kein Märchenexperte, aber er war sicher, dass der Ritter in der schimmernden Rüstung eigentlich nicht den Drachen der Jungfrau in Not bewachen sollte.

In Cates Wohnung lagen überall Julies Aufzeichnungen herum – auf dem Boden, auf dem Tisch im Esszimmer, auf der Anrichte in der Küche. Cate war den ganzen Vormittag damit beschäftigt gewesen, sie zu nummerieren und zu sortieren. Während sie die Blätter ordnete, las sie die Notizen. Julie erzählte die Geschichte eines Mädchens aus einer Kleinstadt, das versuchte, sich in der Großstadt zurechtzufinden. Sie schrieb über ihre Mama und ihre Cousinen und wie schmerzhaft, aber auch aufregend es gewesen war, sie zu verlassen. Sie berichtete von den Menschen, die unter ihrem Fenster vorübergingen. Davon, einsam und arm zu sein, sich aber reich zu fühlen und das Leben zu lieben. Sie erzählte von ihren Freunden und ihrem Job im Party-Trolley, und auf unbegreifliche Weise fügte sich alles zu einer Geschichte mit einem Anfang, einer Mitte und einem Ende zusammen.

Cate konnte es kaum fassen. Julie hatte ein Buch geschrieben. Und es war gut. Es hatte Ecken und Kanten, aber das machte seinen Reiz aus. Ebenso wie das ein Teil von Julies Charme war. Man kratzte an der Oberfläche eines bodenständigen Mädchens und entdeckte eine vielschichtige Person mit einer verblüffenden Menschenkenntnis. Ein Mensch wie Julie wurde oft unterschätzt, stellte Cate fest, während sie die Seiten einsammelte. Julie verhielt sich wie ein Mädchen vom Lande und drückte sich auch so aus, und Cate war davon überzeugt, dass sie dieses Image manchmal zu ihrem Vorteil nutzte. Es gab sogar einen Ausdruck dafür: Bauernschläue.

»Wenn man keine hochtrabenden Worte benutzt, heißt das noch lange nicht, dass man dumm ist«, sprach Cate laut in die leere Wohnung hinein, während sie die letzten Seiten auf den Stapel legte und dann ein dickes Gummiband über den Papierwust streifte.

Julies handschriftliche Aufzeichnungen mussten abgetippt werden. Wahrscheinlich gab es ein Standardformat, das Autoren für ein Manuskript verwendeten. Cate beschloss, sich die entsprechenden Informationen dazu im Internet zu besorgen.

Sie schmierte sich ein Erdnussbutterbrot und verspeiste es im Stehen, an die Anrichte in der Küche gelehnt. Als sie den Blick über den Küchenboden schweifen ließ, fehlte ihr Biests Wassernapf. Sie hatte ihn Kellen mit Biests Hundefutter, seinen Spielsachen, den Vitaminen, seiner Zahnbürste und den Leckerbissen mitgegeben. Ohne Biest wirkte die Wohnung steril. Kein Schnüffeln, keine Sabbern. Kein warmer Hundekörper, der sich gegen ihr Bein drückte. Es war kaum zu glauben, dass Biest erst vor drei Tagen bei ihr angeliefert worden war. Cate hatte das Gefühl, als wäre er schon immer ein Teil ihres Lebens gewesen. Und was war mit Kellen? Diese Beziehung war erst vier Tage alt, und Kellen war es bereits gelungen, sich in ihr Bett und in ihr Herz zu schleichen. Wie hatte das geschehen können?

Als es an der Tür klingelte, geriet Cate für einen Augenblick in Panik. Einerseits wünschte sie, es wäre Marty, damit sie einige Antworten auf ihre Fragen bekäme. Andererseits hatte sie Angst vor einer möglichen Scharade.

Auf dem Weg zur Tür überkreuzte sie die Finger. »Lass es nicht Marty sein«, flehte sie. »Lass es nicht Marty sein!«

Sie warf einen Blick durch den Türspion und verzog das Gesicht. Gute und schlechte Nachrichten! Die gute Nachricht war, dass nicht Marty im Flur stand. Die schlechte war, dass Kitty Bergman sich vor der Tür aufgebaut und zwei große Männer in dunklen Anzügen mitgebracht hatte.

Cate öffnete die Tür einen Spalt. »Ja?«

»Was soll dieses protzige Schloss?«, wollte Kitty wissen. »Hast du etwas zu verbergen? Etwas, was du nicht hergeben willst?«

Ohne eine Antwort abzuwarten, stürmte Kitty an Cate vorbei in die Wohnung. Die beiden Männer folgten ihr auf den Fersen.

»Falls Sie nach Marty suchen«, sagte Cate, »er ist nicht hier.«

»Ich weiß, dass er nicht hier ist«, erwiderte Kitty. »Ich habe soeben mit ihm gesprochen, und er hat mich gebeten, seinen Hund abzuholen.«

Cates Herz zog sich schmerzhaft zusammen. »Biest ist auch nicht hier.«

»Und wo ist er?«

»Bei einem Freund.«

»Ja, ja, das hätte ich dir beinahe abgenommen«, schnaubte Kitty. Sie sah die beiden Männer an. »Sucht den Hund. Und bringt mir sein Futter und seine Fressnäpfe.«

»Warum ist Marty nicht selbst gekommen, um seinen Hund abzuholen?«, fragte Cate.

»Marty ist beschäftigt.«

Die zwei Männer kehrten in das Wohnzimmer zurück.

»Der Hund ist nicht hier«, erklärte der eine. »Und wir

konnten auch seine Sachen nicht finden. Kein Hundefutter, keine Schüsseln oder Sonstiges.«

»Vielleicht bist du nicht so dumm, wie du aussiehst«, sagte Kitty zu Cate.

»Ich wusste noch gar nicht, dass ich dumm aussehe«, entgegnete Cate.

»Wo ist der Hund?«

»Ich habe Ihnen doch bereits gesagt, dass er sich bei einem Freund befindet.«

Kitty sah so aus, als würde sie jeden Moment einen Sprung nach vorn machen, Cate an die Kehle gehen und sie würgen. »Hat dein Freund einen Namen?«

»Ja.«

»Würdest du mir seinen Namen verraten?«

»Nein«, antwortete Cate. »Das hier gefällt mir nicht. Wenn Marty seinen Hund zurückhaben möchte, muss er persönlich vorbeikommen.«

»Willst du damit andeuten, dass du mir Martys Hund nicht anvertrauen willst?« Kitty Bergman kniff die Augen zusammen.

»Ich verstehe einfach nicht, warum Marty nicht selbst gekommen ist. Wenn er sich in der Stadt befindet, warum kommt er dann nicht nach Hause?«

»Das habe ich dir bereits gesagt. Er hat viel zu tun. Und jetzt sei ein braves Mädchen und hol den Hund. Ich bin sicher, dass er sich irgendwo im Haus befindet. Vielleicht bei der Maklerin? Oder bei Miss Party-Trolley?«

»Er ist weder bei der einen noch bei der anderen.«

»Allmählich verliere ich die Geduld«, fauchte Kitty. »Ich zähle jetzt bis fünf. Wenn ich dann nicht die Informationen bekommen habe, die ich haben will, werde ich diese Wohnung verlassen und dich mit meinen beiden Freunden allein lassen. Sie haben eine sehr überzeugende Art.«

»Ich verstehe das nicht«, meinte Cate. »Warum ist Biest so wichtig? Marty hat ihn noch nie gesehen.«

»Stimmt«, gab Kitty zu. »Aber Marty hat trotzdem bereits eine gefühlsmäßige Beziehung zu ihm aufgebaut. Und als seine Freundin fühle ich mich verpflichtet, ihm den Hund zu bringen.«

Einer der Männer packte Cate am Arm. »Warten Sie im Flur«, sagte er zu Kitty. »Wir kümmern uns darum.«

Als Kitty Bergman die Wohnungstür öffnete, um in den Flur zu gehen, stolperten Julie und Patrick Pugg herein.

»Vielen Dank«, sagte Julie. »Wir haben uns gerade überlegt, wie wir das Schloss öffnen können. Cate hat mir gesagt, wie es funktioniert, aber ich habe es vergessen.«

Pugg warf Julie einen Blick zu. »Pugg ist in Heldenstimmung. Pugg muss daher jetzt Pugg sein und bittet um zeitweiligen Straferlass, was die Umlagerung seiner Weichteile betrifft.«

»Straferlass erteilt«, erklärte Julie.

»Lassen Sie sie los«, forderte Pugg von dem Mann, der Cates Arm festhielt.

Der Mann grinste. »Wer verlangt das von mir?«

»Pugg, und mit Pugg ist nicht zu spaßen«, erklärte Pugg.

»Ha!«, rief der Mann. »Das ist ein guter Witz!«

»Das ist doch Unfug«, mischte Cate sich ein. »Wir sollten uns alle wieder beruhigen.«

»Meine Güte, können wir die Sache jetzt endlich hinter uns bringen?« Kitty deutete auf den zweiten Schlägertypen. »Du! Schaff mir den fetten Bauerntölpel und den Kobold vom Hals!«

»Verzeihung, meinten Sie damit etwa mich?«, fragte Julie. »Ich bin nicht fett – ich habe Rundungen. Und ich werde nirgendwohin gehen. Sie sind diejenige, die besser verschwinden sollte. Ich glaube, Sie sind hier nicht willkommen.«

Kitty baute sich breitbeinig in ihren Louboutin-Sandalen vor dem zweiten Mann auf und umklammerte ihre Handtasche von Chanel so fest, dass ihre Fingerknöchel weiß hervortraten. »Ich habe dir doch gesagt, du sollst sie mir vom Hals schaffen«, fuhr sie den Schläger an. »Bist du taub? Oder ein Idiot? Worauf wartest du denn?«

Der Schlägertyp streckte den Arm nach Julie aus, und Pugg sprang hoch und schlug ihm mit der Faust auf die Nase. Da Pugg dreißig Zentimeter kleiner als der Mann war, verfehlte der Schlag jedoch seine Wirkung.

Der Schläger sah zu Pugg hinunter. »Was zum Teufel soll das?«

»Pugg beschützt seine Frauen«, erklärte Pugg.

»Das glaube ich nicht«, erwiderte der Schläger. »Du

und der Bauerntrampel werden gleich von hier verschwinden, damit wir uns in Ruhe mit dem Rotschopf beschäftigen können.«

»Pugg sieht sich gezwungen, Ihnen noch einen Schlag auf die Nase zu verpassen, wenn Sie dieses Gebäude nicht sofort verlassen«, drohte Pugg.

Der Schläger stieß einen Seufzer aus und zeigte damit, wie genervt er von Pugg war. »Mrs. Bergman«, sagte er. »Würden Sie mir bitte die Tür öffnen?«

Kitty riss die Wohnungstür auf, und Schläger Nummer zwei packte Pugg am Hosenboden und warf ihn durch die Tür hinaus auf den Flur.

»Autsch«, stöhnte Pugg. »Das tut weh, wenn einem die Hose nach oben gezogen wird.«

»Ich hoffe, dass Sie das nicht auch mit mir vorhaben«, sagte Julie zu dem Schläger Nummer zwei. »Das wäre sehr unhöflich.«

»Nun, ich schätze, ich bin kein sehr höflicher Mensch«, erwiderte der Mann und ging auf Julie zu.

Julie zog eine Neun-Millimeter-Halbautomatik aus ihrer Schultertasche und zielte damit auf den Schritt des Schlägertypen.

»Meine Güte«, stieß Cate hervor. »Woher hast du diese Waffe?«

»Wo ich herkomme, trägt jeder eine Waffe bei sich.« Julie sah Cate an. »Besitzt du etwa keine, Schätzchen?«

»Nein.«

»Siehst du, das ist eines eurer Probleme hier. Was

glaubst du, wozu die Türspione eingebaut sind? Ein Blick dadurch verrät dir, ob du die Tür besser mit einer Waffe in der Hand öffnen solltest.«

»Sie werden sicher nicht damit schießen«, meinte der Schläger Nummer zwei.

»Ich kann eine Flussratte auf eine Entfernung von fünfzig Schritt treffen«, erklärte Julie. »Und ich hätte kein Problem, Ihren Piephahn zu treffen, so klein und unscheinbar er auch sein mag. Sie können von Glück sagen, dass Sie nicht meiner Tante Tess gegenüberstehen. Loogie Bayard hatte sich eines Abends volllaufen lassen und war dann in Tante Tess' Haus eingebrochen. Als er frech werden wollte, brachte Tante Tess ihm mit dem Fleischklopfer Manieren bei. Sie richtete ihn furchtbar zu und zertrümmerte sogar sein Glasauge. Das war allerdings ohnehin nicht viel wert gewesen. Loogie hatte es im Veteranen-Hospital bekommen und lief ständig mit dem Blick in die falsche Richtung durch die Gegend.«

Einen Moment lang blieben alle still stehen, um diese Geschichte zu verdauen.

»Mit dir bin ich noch nicht fertig«, fauchte Kitty schließlich Cate an. »Ich will diesen Hund haben.« Dann drehte sie sich auf dem Absatz um und fegte aus der Wohnung, dicht gefolgt von den beiden Schlägertypen. Pugg, der draußen gewartet hatte, kam wieder hereingeschlichen.

Cate schloss und verriegelte die Tür und stieß ein hysterisches Kichern aus. »Du meine Güte, was für eine Szene!«

»Das kannst du laut sagen! Worum ging es hier eigentlich?«, wollte Julie wissen.

»Um den Hund«, erklärte Cate. »Kitty behauptete, Marty habe sie gebeten, ihm den Hund zu bringen.«

»So ein Quatsch«, schnaubte Julie. »Diese Frau hat noch nie jemandem einen Gefallen getan. Sie würde niemals in Martys Auftrag den Hund abholen. Wie du mir erzählt hast, sind die beiden nicht einmal besonders gut miteinander ausgekommen.« Julie sah sich um. »Wo ist denn das Riesentier? Wo ist Biest?«

»Ich habe ihn Kellen mitgegeben.«

»Nur gut, dass ich gerade aus dem Fenster geschaut habe, als Kitty und ihre Schlägertruppe das Haus betreten haben«, meinte Julie. »Ich dachte mir sofort, dass sie nichts Gutes im Schilde führten, also schickte ich Pugg los, um festzustellen, wohin sie gehen wollten. Als er sah, dass sie deine Wohnung betraten, rannten wir sofort los.«

Pugg zupfte seine Unterhose zurecht. »Pugg hofft, es macht dir nichts aus«, wandte er sich an Cate. »Aber Pugg schenkt jetzt Julie seine Zuneigung. Sie ist mir durch einen glücklichen Zufall begegnet.«

»In meiner Heimatstadt wäre er ein Mann, den man nicht mehr loslassen sollte«, fügte Julie als Erklärung hinzu.

»Mag sein, aber wir sind hier in Boston!«, wandte Cate ein.

»Er hat einige Pluspunkte«, meinte Julie. »Er ist ein fleißiger Arbeiter, wenn du verstehst, was ich meine. Und auch wenn man nicht mit Sicherheit sagen kann, was sich unter all diesen Körperhaaren verbirgt, würde er nach einer Ganzkörperbehandlung mit Wachs bestimmt nicht schlecht aussehen.«

Es klingelte wieder an der Tür, und alle runzelten die Stirn. Dann klickte das Schloss, und Kellen stieß die Tür auf.

»Ich brauchte eine Pause, also dachte ich, ich komme kurz vorbei«, sagte Kellen.

»Pugg muss jetzt zurück zur Arbeit – seine Aufgabe als Held ist erledigt«, erklärte Pugg.

»Ich bringe dich zur Tür«, bot Julie ihm an. »Und mach dir keine Sorgen. Ab jetzt werde ich dafür sorgen, dass dir außer mir niemand mehr die Unterhose hochzieht.«

»Mir scheint, ich habe irgendetwas verpasst«, meinte Kellen, nachdem Julie und Pugg gegangen waren.

»Kitty Bergman war mit zwei Handlangern hier. Sie wollte Biest abholen und behauptete, Marty habe sie geschickt.«

»Kitty Bergman macht Botengänge für Marty?«

»Ja, darüber hat Julie sich auch gewundert. Das ergibt keinen Sinn. Die Situation war drauf und dran, gefährlich zu werden, als Julie hereinkam und damit drohte, den Männern die Weichteile wegzuschießen.«

Kellen grinste. »Julie hatte eine Waffe?«

»Sie sagte, sie könne eine Flussratte auf eine Entfernung von fünfzig Schritten erledigen.«

»Daran habe ich keine Zweifel«, erwiderte Kellen. »Ich habe das Haus an der Commonwealth Avenue überprüft. Es gehört einer Holdinggesellschaft. Und dieses Unternehmen führt zu Ronald Bergman.«

»Welche Überraschung.«

»Ronald holzt im Moment einen Wald in Mittelamerika ab und weiß wahrscheinlich nicht einmal, dass er der Besitzer des Hauses ist.«

»Du denkst also, Kitty und Marty benutzen das Haus als Zwischenlager für Diebesgut?«

»Das wäre möglich.«

Kellen gefiel die Entwicklung dieser Sache nicht. Es war schlimm genug, dass Kitty möglicherweise eine Betrügerin war, aber anscheinend hatte sie es jetzt auf Cate abgesehen.

»Und was ist mit Biest? Es ist schwer zu glauben, dass sie ihn wegen seiner Fähigkeiten als Wachhund haben wollten.«

»Auch Biest habe ich überprüft. Der Besitzer des Hundezwingers scheint Marty zu kennen. Er erzählte mir, dass Marty vor ein paar Wochen auf der Suche nach einem Hund bei ihm gewesen sei. Er ging probeweise mit einigen Hunden spazieren und suchte dann Biest aus. Der Besitzer des Zwingers sagte, er habe Marty einen Preisnachlass gegeben, weil Biest nicht ganz dem Rassestandard entspricht und nicht alle erforderlichen Persönlichkeitsmerkmale für einen Wachhund besitzt. Ich habe mir Biests Halsband angesehen. Es ist die übliche Ausführung des Hundezwingers. Und es gibt keinen versteckten Beutel mit gestohlenen Diamanten.«

»Und was ist mit dem Wassernapf?«

»Ich dachte, du hättest ihn in einer Hundeboutique gekauft.«

»Nein. Marty hat ihn mir aus Puerto Rico geschickt.«

»Ich werde ihn mir anschauen, sobald ich wieder zu Hause bin. Hast du Kitty erzählt, dass Biest bei mir ist?«

»Nein.«

»Eine Sache weniger, um die wir uns Sorgen machen müssen.« Kellen warf einen Blick auf seine Armbanduhr. »Ich muss zurück. Wie geht es dir jetzt? Würdest du dich sicherer fühlen, wenn du zu mir ziehen würdest? Oder möchtest du hierbleiben?«

»Ich bleibe hier. Ich helfe Julie bei einem Projekt, und in ein paar Stunden muss ich zur Arbeit. Heute Abend muss ich den Laden aufsperren.«

Kellen zog Cate in seine Arme. Sie fühlte sich warm an und duftete nach Kuchen. Er küsste sie sanft und ließ sich damit so lange Zeit, bis es ihm schwerfiel, sich von ihr zu lösen. »Ich wünschte, ich könnte noch bleiben«, sagte er. »Ruf mich an, falls du deine Meinung ändern solltest oder Hilfe brauchst.«

»Gib Biest eine Umarmung von mir.«

Kapitel 13

Ein unbeteiligter Zuschauer würde bei dem Mann mit dem kleinen Bäuchlein an der Theke nur einen der Gäste vermuten, die es noch ein wenig hinauszögerten, nach Hause zu gehen. Die Stammgäste wussten jedoch, dass es sich um Gerald Evian, den Besitzer der Bar, handelte. Und Cate wusste, dass er nur dann so starr und wie benommen dasaß, wenn er in Panik geraten war. In fünfzehn Minuten sollte Martys Show beginnen, aber von Marty war keine Spur zu sehen. Er hatte nicht angerufen, keine E-Mail geschickt, und er ging nicht ans Telefon.

»Ich bin am Ende«, stellte Gerald Evian fest.

Cate und Gina ließen Evian allein und machten sich eilig daran, die Gläser der Gäste aufzufüllen, damit niemand durstig blieb. In die Longdrinks gaben sie einen zusätzlichen Schuss Alkohol. In einer halben Stunde würden die Leute eine Dragqueen sehen wollen, und mit ein wenig mehr Alkohol im Blut würden sie vielleicht die Enttäuschung gelassener hinnehmen.

»Glaubst du, dass Marty noch auftaucht?«, fragte Gina Cate.

»Nein«, erwiderte Cate. »Ich glaube, dass Marty in Schwierigkeiten steckt.«

Julie hatte Pugg befohlen, Cate zu ihrem Arbeitsplatz zu begleiten und sie nicht aus den Augen zu lassen. Also saß Pugg nun am Ende der Theke und schaute auf den Fernsehapparat, der über der Bar hing. Es war kurz vor elf Uhr, und die Bar war fast leer. Nur ein paar Angeheiterte und Pugg und Evian saßen noch da.

»Hey«, rief Pugg Cate zu. »Wie heißt der Typ, bei dem du zur Miete wohnst?«

»Marty Longfellow.«

»Sie haben seinen Namen gerade in den Nachrichten erwähnt. Man hat ihn aus dem Charles River gefischt.«

Alle Blicke richteten sich auf den Fernseher, aber mittlerweile rollten bereits die Schlagzeilen mit den Sportergebnissen über den Bildschirm.

»Bist du sicher?«, fragte Cate nach.

»Es hieß, Marty Longfellow, eine Dragqueen aus South End, sei an der Boston University Bridge an Land gespült worden. Die Polizei stellt Nachforschungen an.«

Cate spürte einen Stich in der Magengrube. »Armer Marty.«

»Jetzt bin ich arbeitslos«, meinte Gina.

Evian nickte zustimmend. »Und ich bin vollkommen erledigt.«

»Wir brauchen ein neues Unterhaltungsprogramm«, erklärte Gina.

»Pugg könnte Witze erzählen«, schlug Pugg vor. »Wollt ihr ein paar von Puggs Witzen hören?«

»Nein«, ertönte es wie aus einem Mund.

Kellen kam in die Bar geschlendert und lächelte Cate an. »Feierabend?«

»Ja. Und wir haben gerade von Marty erfahren.«

»Was habt ihr gehört?«

»Sie haben seine Leiche am Ufer der University Bridge gefunden.«

»Das stimmt nicht ganz«, erklärte Kellen. »Ich habe den Polizeifunk abgehört. Jemand hat Martys Perücke, einen Stöckelschuh Größe 45 und Martys Abendtasche mit seinem Ausweis am Ufer gefunden. Jetzt suchen sie in dieser Gegend den Fluss nach einer Leiche ab.«

Cate schauderte unwillkürlich. Der Gedanke daran, wie die Polizei im Fluss nach Martys Leiche fischte, war noch schlimmer als die Vorstellung, dass Marty an Land gespült worden war.

»Ihr könnt jetzt gehen«, sagte Evian zu Cate und Gina. »Ich werde die Abrechnung machen. Das lenkt mich von meinen Gedanken an den bevorstehenden Bankrott ab.«

»Danke, dass du gewartet hast«, sagte Cate zu Pugg, als sie die Bar verlassen hatten.

»Pugg hatte strikte Anweisungen, dich nicht aus den Augen zu lassen. Pugg wagt nicht, daran zu denken, was geschehen würde, wenn er diese Instruktionen nicht befolgt hatte. Pugg würde keine Zuneigung mehr von Julie bekommen. Pugg wäre bei der Befriedigung seiner sexuellen Bedürfnisse wieder auf sich selbst gestellt.«

Kellen legte Cate den Arm um die Schultern. »Die restliche Nacht werde ich auf sie aufpassen«, verkündete er.

»Nein, nein, nein. Pugg ist es nicht gestattet, von Cates Seite zu weichen, bis sie sich sicher in ihrer Wohnung befindet. Pugg wird euch in gebührendem Abstand folgen.«

»Der Abstand ist nicht nötig«, meinte Kellen. »Aber es wäre schön, wenn du nichts mehr sagen würdest.«

»Das wäre sehr schade.« Pugg mühte sich ab, um mit Kellens längeren Schritten mitzuhalten. »Pugg hat viele interessante Dinge zu erzählen.«

»Was zum Beispiel?«

»Pugg weiß einiges über Albatrosse. Diese Vögel gehören zur biologischen Familie der Diomedeidae und zählen zu den größten flugfähigen Vögeln. Sie kommen in den südlichen Ozeanen und dem Nordpazifik vor. Im Nordatlantik sind sie nicht mehr zu finden. Pugg weiß allerdings nicht, warum das so ist.«

»Das ist mir neu«, meinte Cate.

»Albatrosse sind hervorragende Flieger und können weite Strecken mit geringer Anstrengung zurücklegen. Sie nisten auf abgelegenen Inseln im Ozean und gehen dazu langjährige Partnerschaften ein. Den Verbindungen geht ein Balzritual mit Tänzen voraus, und die Pärchen, die sich gefunden haben, bleiben meist ein Leben lang zusammen. Albatrosse sind monogam. Pugg wäre gern ein Albatros.«

»Wow, das klingt großartig«, sagte Cate, während sie ihren Schlüssel in das Haustürschloss steckte. »Sicher würdest du einen guten Albatros abgeben. Gehst du jetzt zu Julie?«

»Ja. Pugg wird wie ein Albatros sein Balzritual vorführen und hoffen, dass Julie davon beeindruckt ist.«

Sie betraten gemeinsam den Aufzug, und Pugg stieg in Julies Etage aus.

Kellen wartete, bis die Aufzugtüren sich wieder schlossen. »Glaubst du, dass er jetzt tatsächlich einen Balztanz aufführt?«, fragte er dann.

Cate lachte laut auf. »Ja. Und Julie wird wahrscheinlich begeistert sein.«

Kellen folgte Cate im vierten Stockwerk aus dem Lift zu ihrer Wohnungstür und tippte den Code in das neue Schloss ein. Nachdem sie die dunkle, stille Wohnung betreten hatten, schloss Kellen die Tür hinter ihnen ab.

»Biest ist bei mir zu Hause«, sagte Kellen. »Und mir wäre es lieber, wenn du auch dort warst. Es gefällt mir nicht, dass diese Sache so eine merkwürdige Wendung genommen hat und zu eskalieren scheint.«

»Ich werde ein paar Sachen in meine Reisetasche packen«, erklärte Cate. »Ich bin nicht wild darauf, hierzubleiben. Die Wohnung wirkt unheimlich und traurig, jetzt wo ich weiß, dass Marty irgendwo auf dem Grund des Flusses liegt.«

Kellen reichte Cate ein Glas Pinot Grigio und schenkte sich dann selbst Wein ein.

»Du hast Weingläser!«, rief Cate.

»Ich habe sie heute besorgt, weil ich der Meinung war, dass es etwas zu feiern gibt.«

»Denkst du dabei an etwas Bestimmtes?«

»Ja. Wir feiern, weil es mir gestern Nacht gelungen ist, dich aus deinen Kleidern zu schälen. Und weil Julie dich heute Nachmittag gerettet hat und du in Sicherheit bist. Und weil ich den Boden von Biests Wassernapf abheben konnte und das hier gefunden habe…«

Kellen zog eine Schublade vom Küchenschrank auf und holte eine Halskette mit Diamanten und tiefblauen Saphiren heraus.

»Das ist das schönste Halsband, das ich jemals gesehen habe«, erklärte Cate. »Ist es das Schmuckstück, nach dem du gesucht hast?«

»Leider nein.«

»Was wirst du damit tun?«

»Ich werde einige Nachforschungen anstellen«, antwortete Kellen. »Und bei der Polizei ein Protokoll anfertigen lassen.«

Biest kam in die Küche getappt und rieb sich an Cates Bein.

»Er sieht verschlafen aus«, bemerkte Cate und kraulte Biest hinter den Ohren.

»Es überrascht mich, dass er überhaupt aufgestanden ist. Dieser Hund ist nicht für ein Nachtleben geschaffen. Tagsüber strotzt er vor Energie, aber sobald die Sonne untergeht, ist Schlafenszeit für ihn. Dann bräuchte man einen Gabelstapler, um ihn zu bewegen.«

Cate nippte an ihrem Wein.

»Was hast du jetzt vor?«

»Ich werde versuchen, dich wieder aus deinen Klamotten zu schälen.«

Cate grinste. »Ich meinte, in Bezug auf deine Suche nach der Halskette.«

Kellen lehnte sich gegen die Anrichte. »Ich muss herausfinden, was Kitty Bergman damit zu tun hat. Sie arbeiteten zusammen. Dann hatten sie Streit, und Kitty suchte nach Marty. Und sie wollte Biest haben. Vielleicht war sie hinter der Halskette in dem Hundenapf her. Ich habe das Gefühl, dass Marty ihr etwas vorenthalten hat.«

»Und Martys Agent? Worum ging es da?«

Kellen schenkte Cate ein Lächeln. »Diese mysteriöse Sache hat dich gepackt, nicht wahr? Irgendwie gefällt sie dir.«

»Es ist interessant.«

»Es ist ein Puzzle. Du setzt es Stück für Stück zusammen. Du arbeitest so lange daran, bis du ein Gesamtbild erkennen kannst.«

»Ist es das, was du den ganzen Tag tust?«

»So in etwa.« Kellen stellte sein Weinglas auf die Anrichte und zog Cate in seine Arme. Er küsste zuerst ihren Handrücken und dann die Innenseite ihres Handgelenks. »Und das ist, was ich gedenke, die ganze Nacht zu tun. Und hier werde ich damit beginnen.« Er drückte seine Lippen auf die Haut unterhalb ihres Ohrs. »Und ich werde mich weiter in Richtung Süden vortasten, bis wir die Stelle entdeckt haben, an der du am liebsten geküsst wirst.«

Cate war sich beinahe sicher, dass sie diese Stelle bereits kannte, aber sie beschloss, sich noch nicht festzulegen, während er sich den Weg nach unten bahnte.

Cate streckte sich in Kellens riesigem Bett aus und stellte fest, dass es das bequemste Bett war, in dem sie jemals geschlafen hatte. Es war weder zu hart noch zu weich – es war genau richtig. Außerdem bot es ausreichend Platz für drei Personen. Obwohl eine dieser Personen genau genommen ein Hund war. Kellen hatte neue Kissen, seidige, weiße Laken und eine flauschige, tannengrüne Bettdecke, die ebenfalls für den klimatisierten Raum genau richtig war. Und am allerbesten an diesem Bett war, dass Kellen darin lag, wie Cate fand. Nicht jetzt, aber üblicherweise. In diesem Augenblick war Kellens Seite des Betts leer.

Es war Samstagmorgen, und die Sonne drang durch die wabenförmigen Jalousien und durchflutete das Zimmer mit verstreuten Lichtstrahlen. Die Wände waren cremefarben gestrichen, und die Fußleisten, die kunstvoll gearbeiteten Holztüren und die Deckenleisten waren aus dunklem Mahagoni. Das Kopfbrett von Kellens Bett war mit dunklem Leder gepolstert. An beiden Seiten standen Nachttische mit Marmorplatten. Das einzige andere Möbelstück im Raum war eine antike Frisierkommode aus Mahagoni.

Cate warf einen Blick auf ihre Armbanduhr auf dem Nachtschränkchen. Acht Uhr. Sie war wie üblich um sechs Uhr aufgewacht, aber das hatte zu einem morgendlichen Liebesspiel geführt, und danach war sie wieder eingedöst. Und jetzt waren der Mann und der Hund verschwunden.

Die Türglocke im Erdgeschoss bimmelte, dann hörte Cate Schritte und das heftige Keuchen eines Hundes auf der Treppe. Biest kam über den Treppenabsatz ins Schlafzimmer gestürmt und sprang auf das Bett. Er drehte sich ein paarmal um sich selbst, bevor er sich mit heraushängender Zunge und nach Luft schnappend fallen ließ. Kurz darauf folgte Kellen Biest in das Schlafzimmer.

Cate stützte sich auf einen Ellbogen. »Was hast du mit meinem Hund angestellt? Er ist völlig erschöpft.«

»Dein Hund ist ein Spinner. Er ist herumgesprungen wie ein Hase. Als ich ihn im Park von der Leine gelassen habe, ist er herumgetobt wie ein Irrer. Und es ist jetzt bereits heiß draußen. Heute wird das Thermometer sicher über dreißig Grad klettern.« Kellen legte einige Tüten auf das Bett und stellte zwei Becher mit Kaffee auf den Nachttisch. »Ich weiß nicht, was du gern zum Frühstück isst, also habe ich von allem etwas mitgebracht. Es gibt ein überaus ungesundes Sandwich mit Ei, Wurst, Käse und viel fettem Dressing, außerdem Muffins entweder mit Karotten, mit Blaubeeren oder mit Getreideflocken. Hier sind noch ein paar Bagels mit Frischkäse und Donuts. Und Kaffee.«

»Ich bin überwältigt«, sagte Cate. »Und ich will alles.«

Kellen zog den Deckel von einem der Kaffeebecher. »Der Bagel mit Honig und Weizenschrot gehört allerdings mir.«

»Du bevorzugst also ein gesundes Frühstück?«

»Manchmal.« Er setzte sich auf die Bettkante und fischte seinen Bagel aus einer Tüte. »Ich habe mich mit einigen meiner Freunde von der Polizei unterhalten und den Gesprächen über Funk zugehört. Sie haben Marty noch nicht gefunden. Es heißt, dass jemand in einem vorbeifahrenden Wagen gesehen hat, wie zwei Männer eine große Frau von der Brücke gestoßen haben. Sie trug ein Cocktailkleid, hochhackige Schuhe und eine Handtasche. Die Beschreibung passt auf Marty. Und der Zeuge hat sich die Perücke, die Schuhe und die Tasche angesehen, die am Ufer gefunden wurden. Er ist sich nicht sicher, aber er glaubt, dass sie der Frau gehören, die er gesehen hat.«

»Fischen sie noch nach der Leiche?«

»Nein, sie haben die Suche eingestellt.«

»Das ist grauenvoll. Könnte der Zeuge die beiden Männer bei einer Gegenüberstellung identifizieren?«

»Keine Ahnung. Ich habe die Polizei auf Puggs Anruf hingewiesen. Sie waren natürlich nicht begeistert, als sie hörten, dass Kitty Bergman möglicherweise in eine so scheußliche Sache verwickelt ist.«

Cate entschied sich dafür, ihr Frühstück mit dem mit Ahornsirup überzogenen Donut zu beginnen. »Wir haben in den Elf-Uhr-Nachrichten von Marty erfahren. Wann hat der Zeuge gesehen, dass er von der Brücke gestoßen wurde?«

»Am Freitag gegen drei Uhr morgens. Die Schuhe, die Perücke und die Tasche wurden um acht Uhr abends gefunden.«

»Armer Marty.«

Kellen nippte an seinem Kaffee und sah Cate an. »Ich hatte den Eindruck, dass ihr euch nicht nahestandet.«

»Das stimmt, aber er war immer nett zu mir.«

Kellen brach ein Stück von seinem Bagel ab und verfütterte es an Biest. »Heute ist Samstag. Möchtest du irgendetwas unternehmen?«

»Das würde ich sehr gern, aber ich kann nicht. Ich habe Julie versprochen, einiges für sie abzutippen, und ich muss damit fertig werden, bevor nächste Woche das College wieder beginnt.«

»Ich nehme an, dass du deshalb den Haufen Papier und deinen Laptop mitgebracht hast.«

»Genau. Ist es dir recht, wenn ich eine Ecke deiner Küche in Beschlag nehme?«

»Du kannst alles in Beschlag nehmen, was du möchtest. Wenn du arbeiten musst, werde ich das auch tun. Ich habe noch einiges Liegengebliebene zu erledigen.«

Nachdem Cate den Donut verzehrt hatte, aß sie den Karottenkuchen und das Sandwich und trank ihren Kaffee. Den Blaubeermuffin gab sie Biest, bevor sie sich unter die Dusche schleppte.

Kapitel 14

Kellen saß an seinem Computer, als Cate in sein Büro schlenderte.

»Deine Mutter hat angerufen, während du unter der Dusche warst. Und dein Bruder. Und Sharon, die Immobilienmaklerin.«

Cate rief als Erstes ihre Mutter zurück.

»Ich wusste, dass es keine gute Idee war, in diese Wohnung zu ziehen«, sagte ihre Mutter. »Sieh nur, was dort alles passiert. Zuerst fällt jemand die Treppe hinunter und bricht sich das Genick, und jetzt wird dein Mitbewohner von einer Brücke gestoßen. In den Nachrichten wird darüber berichtet, und es steht in allen Zeitungen. Und dein Bruder hat es im Fernsehen gesehen. Du solltest zu Hause wohnen. Dieses Haus, in das du gezogen bist, ist voll von Verrückten. Und wo bist du eigentlich? Ich habe versucht, dich in deiner Wohnung zu erreichen, aber du warst nicht da. Und irgendein Mann ging an dein Handy.«

»Das war Kellen. Biest und ich bleiben bei ihm, bis ich meine Wohnsituation geklärt habe.«

»Das Problem wäre sofort gelöst, wenn du nach Hause kommen würdest«, erklärte ihre Mutter. »Ich werde deinen Vater schicken, um dich abzuholen.«

»Nein! Tu das nicht. Mir geht es gut.«

»Wie kann es dir gutgehen, wenn ständig Menschen in deiner Umgebung sterben? Wo bist du? Wo wohnt dieser Mann? Du bist doch nicht etwa noch in diesem Gebäude, oder? Dieses Haus bringt Unglück.«

Als Nächster war Danny an der Reihe.

»Irgendein Kerl hat dein Handy«, sagte er. »Soll ich ihn suchen und ihm eine ordentliche Tracht Prügel versetzen?«

»Das war Kellen, und ich will nicht, dass du irgendjemanden verprügelst, schon gar nicht Kellen. Ich mag ihn. Ich mag ihn sogar sehr, und ich wäre sehr unglücklich, wenn du alles verderben würdest.«

»Wann habe ich dir schon einmal etwas verdorben?«

»Wie viel Zeit hast du?«

»*So* lang ist die Liste nicht. Mir gefällt das alles nicht. Ich finde, du solltest zu Mom und Dad nach Hause zurückkommen. Dieses Haus hat ein schlechtes Karma. Und ich weiß nicht, was ich von diesem Kellen halten soll. Du kennst ihn kaum und wohnst jetzt mit ihm unter einem Dach.«

»Ich bleibe nur vorläufig in seinem Haus, bis ich meine Wohnsituation geklärt habe. Es ist alles in Ordnung.«

»Mir gefällt das nicht. Ich werde dich abholen. Wo bist du?«

»Hol mich nicht ab! Mir geht es gut. Und ich werde dir nicht sagen, wo ich jetzt bin!«

Kellen beobachtete Cate. »Ich nehme an, du hast Schwierigkeiten mit deiner Familie.«

»Ich bin die Jüngste. Deshalb sind sie ein wenig überfürsorglich.«

»Wahrscheinlich würden sie am liebsten alle sofort ins Auto springen und dich abholen.«

»Ja. Sie sind der Meinung, ich sollte nach Hause zurückkehren. Sie begreifen nicht, dass das keine Alternative für mich ist. Ich liebe meine Familie, aber sie haben mich beinahe in den Wahnsinn getrieben, als ich noch zu Hause wohnte. Und sie sind oft… sehr ungestüm. Und unser Haus ist immer voll. Da sind meine Eltern, Großeltern, Cousinen, Tanten, Onkel, Nachbarn. Alle treffen sich im Haus meiner Eltern. Ich konnte dort nie ungestört arbeiten und lebte praktisch in der Bibliothek. Und dann wurden mir ständig Fragen gestellt. Wo bist du gewesen? Was hast du mittags gegessen? Wer hat dich nach Hause gebracht? Ist seine Familie katholisch? Und wenn ich, was nur selten der Fall war, eine Verabredung hatte, wartete mein Vater auf mich, bis ich nach Hause kam!«

»War es bei deinen Brüdern genauso?«

»Meine Brüder sind nicht aufs College gegangen. Sie suchten sich einen Job, und es wurde von ihnen erwartet, dass sie ihn gut machten. Danach sollten sie heiraten. Und genau das haben sie getan.«

Kellen lehnte sich in seinem Stuhl zurück. »Das erinnert mich an meine Familie.«

»Hast du das College besucht?«

»Nein. Ich bin Polizist geworden. Alle Männer in meiner Familie sind Polizisten.«

»Hast du dich dagegen zur Wehr gesetzt?«

»Mit aller Macht. Aber dann habe ich mein Bestes gegeben, um den Erwartungen meiner Familie gerecht zu werden. Und das ist mir auch bis zu einem gewissen Grad gelungen. Allerdings habe ich nie die Frau kennengelernt, die ich heiraten sollte. Meine Schwestern sind alle verheiratet und haben Kinder. Ich bin derjenige, der sich verweigert hat.«

Cate dachte über seine Worte nach und stellte fest, dass sie vielleicht gern die Frau in Kellens Leben werden würde. Es gefiel ihr, neben ihm einzuschlafen. Und es war schön, zu seinem Alltagsablauf zu gehören. Er ging sehr gut mit Biest um und hatte sich großartig mit ihren Nichten verstanden. Ihren Eltern gegenüber hatte er sich respektvoll, aber nicht eingeschüchtert verhalten. Und dann war da noch dieses spezielle Etwas ... Etwas, das sie nicht benennen konnte. Es war nicht fassbar, aber es führte dazu, dass sie sich in seiner Gegenwart warm, glücklich und sexy fühlte. Es war dieses gewisse Etwas, das bei anderen Männern gefehlt hatte.

»Und dann hast du diesen Job an den Nagel gehängt«, stellte Cate fest.

»Er war zu festgefahren, zu reglementiert. Und ich hatte das Gefühl, dass ich es mit den Vorurteilen der gesamten Menschheit aufnehmen musste, weil ich immer nur mit der dunklen Seite der Gesellschaft zu tun hatte. Dann wurde ich Detektiv, aber auch da fühlte ich mich von den Verordnungen eingeschränkt.«

»Also hast du dich selbstständig gemacht?«

»Ja. Und das gefällt mir. Mein Unternehmen ist klein, aber profitabel. Ich bediene ein Nischengeschäft und bin erfolgreich damit.«

»Du hast Glück gehabt – du hast etwas gefunden, was dir Spaß macht.«

»Das stimmt«, bestätigte Kellen und schenkte ihr dieses Lächeln, bei dem ihr Herz auszusetzen drohte.

Du solltest dir nicht zu viel dabei denken, mahnte sich Cate. Natürlich wäre es wunderschön, wenn er so empfinden würde wie sie, aber ihre Beziehung war dafür noch zu frisch. Bilde dir nur nicht ein, das wäre eine Liebesgeschichte wie in einem Märchen, befahl sie sich selbst.

Cate wählte Sharons Telefonnummer. »Nur noch ein Anruf zu erledigen«, erklärte sie Kellen.

»Meine Güte, ich habe gerade von Marty gehört«, sagte Sharon. »Sie bringen es in allen Nachrichtensendungen. Und überall im Haus wird darüber gesprochen. Es ist grauenhaft.«

»Ja, mir ist schrecklich zumute«, erwiderte Cate.

»Ich kannte ihn nicht sehr gut. Eigentlich sagten wir einander nur guten Tag.«

»Er war ein netter Kerl. Immer sehr zurückhaltend, aber freundlich zu mir. Und er war… ein sehr interessanter Mensch.«

»Ich weiß, das klingt hart, aber das Gebäude steht nun auf der schwarzen Liste. Zuerst der Agent und nun Marty. Die Preise für die Wohnungen werden in den Keller sinken, und ich besitze hier zwei Einheiten. Ich muss diese Wohnungen sofort verkaufen. Ich habe eine Hypothek. Und ich habe bei Saks Schuhe entdeckt, die ich unbedingt haben muss. Und was ist mit dir? Willst du in der Wohnung bleiben?«

»Nein. Ich habe ein ungutes Gefühl dabei. Und außerdem wird man mir ohnehin kündigen. Die Wohnung gehört zu Martys Erbe.«

»Ich hätte ein tolles Atelier für dich, allerdings ohne Aufzug. So könntest du endlich anfangen, dir etwas Eigenes anzuschaffen.«

»Ich kann nichts kaufen. Ich kann noch nicht mal eine Anzahlung leisten, und um die Raten zu bezahlen, müsste ich auf Kosten meines Studiums mehr jobben. Ich könnte mir kaum mehr die Miete für das Zimmer in Martys Wohnung leisten.«

»Mit Biest im Schlepptau wird es noch schwieriger werden, eine Mietwohnung zu finden«, meinte Sharon. »Wo steckst du? Ich war gerade oben bei dir, aber niemand hat mir die Tür geöffnet. Da ein Mann an dein Handy gegangen ist, nehme ich an, dass du entweder bei deinen Eltern oder bei Mr. Sexy bist.«

»Bei Mr. Sexy.«

»Du Glückliche. Ich habe ein gutes Gefühl, was ihn betrifft.« Sharon seufzte in den Telefonhörer. »Und ich habe auch ein gutes Gefühl, was 2B betrifft, aber ich bekomme einfach keine Verbindung.«

»Bist du sicher, dass ein Mann dort wohnt?«

»Heute Morgen habe ich ein Namensschild unter seiner Türglocke gesehen. Mr. M. – ist das nicht geheimnisvoll? Mr. M.«

»Sehr geheimnisvoll«, bestätigte Cate. »Hast du die Nachbarn gefragt, ob jemand weiß, wer das Namensschild dort befestigt hat?«

»Keiner hat etwas beobachtet. Er muss es in den frühen Morgenstunden angebracht haben. Meine Güte, ich kann mir gar nicht vorstellen, wie es in diesem Haus ohne dich sein wird. Warum ziehst du nicht bei mir ein? Ich habe ein zweites Schlafzimmer, und wir hätten sicher eine Menge Spaß.«

»Das ist wirklich nett von dir, aber es gibt bestimmt noch eine andere Möglichkeit.«

»Na gut, aber mein Angebot steht. Jetzt muss ich los. Ich muss heute Vormittag noch ein Stadthaus vorführen.«

Cate hatte keine anderen Wahlmöglichkeiten. Stattdessen hatte sie einen großen Hund und kein Geld. Und sie hatte zwei sehr gute Freundinnen, die sie allerdings nicht verlieren wollte, indem sie in deren Privatsphäre eindrang.

»Was wirst du jetzt tun?«, erkundigte sich Kellen.

Cate zuckte die Schultern. »Ich werde schon etwas finden.«

»Wir könnten hier ein Arrangement treffen – im Austausch für gewisse Gefälligkeiten.«

»An welche Gefälligkeiten denkst du dabei?«

»Kochen. Putzen. Sex.«

»Das könnte teuer werden«, erwiderte Cate. »Meine Kochkünste sind nicht billig.«

Und es könnte schmerzhaft werden, wie Cate insgeheim dachte. Eine Trennung von Kellen und seinem Haus würde ihr sehr schwerfallen, falls es mit ihnen nicht klappen sollte. Und sie war sich immer noch nicht darüber im Klaren, ob es sich bei ihrer Beziehung zu Kellen nur um Sex handelte oder ob mehr dahintersteckte. Es war noch zu früh, um das Wort Liebe laut auszusprechen. Und woher sollte sie wissen, worum es wirklich ging?

Ihre Beziehung zu Biest war viel einfacher. Sie konnte ihm ewige Liebe versprechen, und er würde liebend gern bei ihr bleiben, solange sie ihn fütterte.

Am Vormittag klingelte Cates Handy wieder.

»Hallo, liebste Freundin«, meldete sich Julie. »Wo zum Teufel steckst du? Ich habe Pugg nach oben geschickt, um dich zu holen, aber er sagte mir, niemand sei zu Hause.«

»Pugg ist bei dir? Muss er am Samstag nicht Reifen verkaufen?«

»Er hat heute frei, und ich habe ihn gebeten, ein paar Besorgungen für mich zu erledigen. Er ist eine gute Seele. Also, wo bist du? Bist du mit dem Hund spazieren?«

»Ich bin in Kellens Haus.«

»Bei Mr. Sexy? O mein Gott. Ich hatte so eine Ahnung, dass du bei ihm bist. Und ich will einen ausführlichen Bericht. Er ist großartig, stimmt's? Für so etwas habe ich einen Riecher.«

»Hast du das von Marty gehört?«

»Man kommt nicht umhin, von ihm zu hören. Alle reden darüber. Es ist so traurig. Und der Gedanke, dass du vielleicht von hier wegziehst, ist furchtbar. Du und Sharon seid wie Schwestern für mich.«

»South End gefällt mir. Ich werde versuchen, in dieser Gegend etwas Neues zu finden.«

»Das ist gut. Du könntest aber auch bei mir wohnen. Ich würde noch ein Sofa besorgen. Leider gibt es ein Problem mit meinem Vermieter – er würde Biest hier nicht dulden. Allerdings sehe ich keinen großen Unterschied zwischen Biest und Patrick Pugg. Sie sind beide sehr haarig.«

»Ich habe schon einige deiner Seiten bearbeitet, und ich könnte um die Mittagszeit bei dir vorbeikommen. Dann kannst du dir anschauen, ob dir das so gefällt.«

»Na klar. Ich wollte dich noch um einen Gefallen bitten, falls du Zeit dafür hast. Wir haben heute wieder die Seniorengesellschaft an Bord des Trolleys, und ich bräuchte wieder Kuchen. Mein Boss hat mich um vier Stück gebeten, für die er natürlich bezahlt. Ein Kuchen muss unbedingt diese weiße Glasur mit den farbigen Streuseln haben. Und ein anderer der Senioren wünscht sich den Schokoladenkuchen mit der cremigen Glasur.«

»Und dein Boss zahlt dafür?«

»Ja.«

»Abgemacht!«

Cate tippte den Code in das Schloss an ihrer Wohnung und stieß die Tür auf. Sie hatte sich Julies Aufzeichnungen unter den Arm geklemmt. Über der Schulter hing ihre Handtasche, und auf der Hüfte balancierte sie eine Einkaufstüte. Die Wohnung wirkte ruhig und friedlich. Soweit Cate es beurteilen konnte, lauerten keine bösen Schatten hinter den Vorhängen oder unter dem Bett. Sie stieß die Tür mit dem Fuß hinter sich zu und ging in die Küche. Butter, Eier, Puderzucker und Backmischungen hatte sie eingekauft, und die restlichen Zutaten würde sie im Vorratsschrank finden.

Martys Küche kam Cate immer noch verlassen vor. Wäre Biest hier gewesen, hätte sie sich wohler gefühlt. Und obwohl sie Marty gegenüber nun gemischte Gefühle hegte, wünschte sie, er stünde in der Küche vor ihr.

Er mochte nicht der Mensch sein, für den sie ihn gehalten hatte, aber den Tod hatte sie ihm nicht gewünscht.

Sie machte sich an die Arbeit, verrührte Butter und Mehl und hantierte mit Öl, Schüsseln, den bunten Streuseln und Schokoladenstückchen. In Kellens Küche würde das viel mehr Spaß machen, überlegte sie. Dort gab es so viel Platz. Und seine Küche war genau so, wie man sie sich wünschte. Mit einem großen Herd und wunderschönen Zierleisten aus Mahagoni. Und das Beste an Kellens Küche war Kellen selbst. Er besaß keine Töpfe und Pfannen. Auch keinen Mixer, Pfannenwender oder Toaster, aber man spürte seine Gegenwart. Seine Schlüssel lagen auf dem Küchentresen. Und ein Block mit einem Stift. Die Speisekarte des Pizzaservice California und des chinesischen Lieferdienstes P. F. Chang lagen neben dem Telefon. Und man hatte das Gefühl, dass er sich irgendwo im Haus befand und jeden Moment in der Küche auftauchen konnte.

Cate schloss die Augen und presste die Stirn an einen der Hängeschränke über der Arbeitsfläche. Es ging ihr nicht gut. Sie war dem Schicksal verfallen. Es war nicht mehr zu leugnen: Sie war verliebt.

Zwei Stunden später stellte Cate vier Kuchen zum Auskühlen auf die Arbeitsplatte aus Granit und ließ Butter für die Glasur aus. Sie hatte noch viel Zeit, wie sie feststellte. Es war drei Uhr, und sie musste erst um sechs Uhr zu arbeiten beginnen. Und um sich umzuziehen, musste sie nicht in Kellens Haus zurück – sie hatte noch genügend Kleidung hier in der Wohnung.

Gerade als sie Puderzucker in die zerlassene Butter rühren wollte, klingelte es an der Tür. Sie wischte ihre Hände an der Jeans ab und ging öffnen. Durch den Türspion war niemand zu sehen, aber als sie den Blick senkte, entdeckte sie Pugg vor der Tür.

»Julie hat Pugg geschickt, um dir zu helfen«, erklärte er Cate.

»Danke, aber eigentlich brauche ich keine Hilfe.«

»Pugg könnte Punkte sammeln, wenn es etwas zu helfen gäbe. Oder Pugg könnte auch einfach nur dabeistehen und alles beobachten. Pugg wäre dabei ganz leise.«

»Na gut. Komm rein.«

Pugg folgte Cate in die Küche und lehnte sich gegen die Wand.

»Du wirst gar nicht bemerken, dass Pugg hier ist«, beteuerte er und verrenkte sich beinahe den Hals, um zu sehen, was Cate gerade machte. »Hast du gewusst, dass einige Leute glauben, die erste Backmischung stamme aus dem Jahr 1929 und sei von Duncan Hines hergestellt worden? Pugg hat gelesen, dass sie klumpig war, aber aus eigener Erfahrung kann er das nicht beurteilen. Jiffy und Bisquick gibt es seit 1930, und die Backmischungen von General Mills und Pillsbury erschienen erst 1949 auf dem Markt.«

»Das wusste ich nicht«, antwortete Cate.

»Wo ist Cates Hund?«

»Er ist bei Kellen. Ich war der Meinung, dass er dort sicherer ist. Kitty Bergman wollte ihn mir wegnehmen.«

»Warum wollte Kitty Bergman Biest haben?«

»Ich bin mir nicht sicher, aber möglicherweise ist er in einen Diebstahl verwickelt.«

»Das interessiert Pugg. Wäre Pugg ein Meisterdieb, würde er einem Hund einen Mikrochip einpflanzen lassen, auf dem Puggs geheime Bankdaten gespeichert sind.«

Cate hörte auf, in der Schüssel zu rühren. »Das kann man machen?«

»Ja. Es ist üblich, Tieren zur Identifizierung Mikrochips einzupflanzen. Es handelt sich dabei um winzige Magneten von der Größe eines ungekochten Reiskorns, auf denen eine einmalige Identifikationsnummer gespeichert ist. Sie werden mit Hilfe einer Nadel unter die Haut gepflanzt und können mit einem tragbaren Scanner jederzeit abgelesen werden.«

»Kann so etwas jeder anbringen?«

»Meistens wird das von einem Tierarzt oder Züchter gemacht, aber da es sich um eine simple Prozedur handelt, ist jeder dazu fähig, der seinem Hund eine Spritze geben kann.«

»Woher hast du all diese Informationen?«

»Pugg hat viel Zeit, während er darauf warten muss, ein Mädchen zu erobern, also liest er viele Bücher und eignet sich dabei viele interessante, aber im Grunde genommen nutzlose Informationen an.«

»Wie sieht ein solcher Scanner aus?«

»Pugg hat noch keinen gesehen, aber er stellt ihn sich wie eine kleine Fernbedienung für einen Fernseher vor.«

»Schau dich in der Wohnung um, während ich die Glasur zubereite. Vielleicht kannst du einen Scanner finden. Fang am besten in Martys Zimmer an.«

Cate brachte gerade kleine gelbe Blumen auf dem letzten Kuchen an, als Pugg mit dem Scanner in der Hand zurück in die Küche kam.

»Pugg glaubt, den Scanner gefunden zu haben«, verkündete er. »Er lag in Martys Büro und war in der Schublade mit all den anderen elektronischen Geräten leicht zu übersehen. Pugg ist der Meinung, dass es sich um den Scanner handelt, weil Pugg damit weder den Fernseher noch den DVD-Player bedienen konnte.«

Cate nahm den Scanner in die Hand. »Er ist sehr leicht.«

»Ja. Ein Chip-Scanner wiegt im Durchschnitt 113 Gramm und kann Magneten ablesen, die auf einer Frequenz zwischen 125 und 128 kHz senden. Pugg glaubt, dass dieser Scanner aus der Schweiz stammt und einen fünfzehnstelligen Code bei einem auf 134 kHz funktionierenden Sender lesen kann. Er ist im Internet für 79,95 Dollar erhältlich und wiegt weniger als 85 Gramm.«

»Du scheinst ein fotografisches Gedächtnis zu haben.«

»Auch auf die Gefahr hin, deine hohe Meinung von Pugg zu schmälern, gibt Pugg zu, die meisten dieser Informationen auf der Rückseite des Scanners gelesen zu haben.«

Cate steckte den Scanner in ihre Handtasche und verstaute vorsichtig die Kuchen in Schachteln.

»Ich habe diese Kartons von der Bäckerei an der Ecke geholt, damit ich die Kuchen unbeschädigt transportieren kann«, erklärte sie Pugg. »Du nimmst zwei, und ich trage die anderen beiden. Du darfst sie nicht kippen. Ich möchte nicht, dass die Glasur beschädigt wird.«

Vorsichtig balancierten sie die Kuchen aus der Wohnung, und Cate vergewisserte sich, dass die Tür abgeschlossen war. Mit dem Aufzug fuhren sie ein Stockwerk hinunter, trugen dann die Kuchen in Julies Wohnung und stellten sie auf den Küchentresen.

»Die alten Leutchen werden sich über die Kuchen freuen«, sagte Julie. »Der Trolley-Bus kommt extra hier vorbei, um sie abzuholen.«

»Pugg war ... ich meine, *ich* war Cate eine große Hilfe«, berichtete Pugg. »Ich habe den Scanner gefunden.«

»Was zum Teufel ist ein Scanner?«, fragte Julie.

»Ein Gerät, um Mikrochips zu lesen«, erklärte Cate. »Wir glauben, dass Marty Biest einen solchen Chip eingepflanzt hat. Es wäre eine sichere Methode, um Kontonummern oder Safekombinationen zu speichern.«

»Das klingt nach Hightech. Mein Cousin Orville hat auch so etwas getan. Er war ein professioneller Ballonschlucker. Wenn jemand etwas zu transportieren hatte und das geheim halten wollte, steckte Orville den betreffenden Gegenstand in einen kleinen Ballon und schluckte ihn. Das funktionierte wunderbar, nur musste man ein oder zwei Tage warten, bis Orville das Ding wieder zum Vorschein brachte.«

»Dein Cousin Orville war ein sogenanntes Maultier?«, fragte Pugg. »Das ist ein sehr gefährlicher Beruf.«

»Das stimmt, aber hätte Orville das nicht gemacht,

wäre er arbeitslos gewesen. Im Burger King ist ihm einmal seine Zahnprothese in die Fritteuse gefallen. Er musste niesen, und dann ist sein Gebiss in den Pommes frites gelandet. Hätte er sich beim Drogenschmuggel nicht so geschickt angestellt, hätte er die Raten für sein Wohnmobil nicht zahlen können.«

»Ist Orville immer noch in diesem Bereich tätig?«, erkundigte sich Pugg.

»Nein. Der arme alte Orville schluckte eines Tages einen Ballon, der ein winziges Loch hatte, aus dem dann etwas von dem Stoff herausrieselte. Als er es bis Birmingham geschafft hatte, stand ihm bereits der Schaum vor dem Mund. Er starb zwar nicht daran, aber ihm läuft ständig Spucke und Schaum aus dem Mund, und er hält jeden für Walter Cronkite. Deshalb musste meine Tante Madelyn ihn in das Pflegeheim zur Schattigen Ruhe bringen. Es war sehr schade, vor dem kleinen Loch hatte Orville sein Leben richtig genossen.«

»Dumm gelaufen«, sagte Pugg. »Wenn ihr mir meine Ausdrucksweise verzeiht.«

Cate legte die abgetippten Seiten von Julies Aufzeichnungen neben die Kuchen auf den Küchentresen. »Das sind ungefähr zwanzig Seiten«, sagte sie. »Schau sie dir an und lass mich wissen, ob das so in Ordnung ist. Jetzt muss ich los. Ich möchte noch mit Kellen sprechen, bevor ich zur Arbeit gehe.«

»Soll Pugg dich begleiten?«, erkundigte sich Julie.

»Nein, ich komme schon zurecht.«

»Vielleicht könntest du noch kurz bei Sharon vorbei-schauen«, bat Julie. »Sie macht sich schon wieder wegen 2B völlig verrückt, und ich hatte noch keine Zeit, mich um sie zu kümmern. Sie ist wirklich eine vernünftige, bodenständige Person, solange es sich nicht um Schuhe oder 2B handelt.«

Kapitel 15

Nachdem Cate Julies Wohnung verlassen hatte, klingelte sie an Sharons Tür. Keine Antwort. Einer Eingebung folgend ging sie ein Stockwerk tiefer. Sharon stand händeringend und mit umherirrendem Blick im Flur.

»Was ist los?«, erkundigte sich Cate. »Du scheinst ein wenig aus der Fassung zu sein.«

»Die Tür ist offen.«

»Wie bitte?«

»Die Tür zu 2B. Schau hin. Sie steht einen Spalt offen.«

Cate warf einen näheren Blick auf die Tür. »Stimmt. Sie steht offen«, bestätigte sie.

»Dort drin ist jemand«, erklärte Sharon.

»Es könnte der Hausmeister sein. Oder der Klempner ist noch einmal gekommen.«

»Das ist er«, behauptete Sharon. »Mr. M. Er ist zu Hause. Ich kann es spüren. Meine Haut prickelt.«

»Meine Güte.«

»Was soll ich jetzt tun?«

»Nichts?«

»Soll ich klingeln und ihm sagen, dass seine Tür offen steht?«

»Ja, tu das.«

»Das kann ich nicht. Ich bin zu nervös.«

Cate drückte auf den Klingelknopf.

»Mein Gott.« Sharon umklammerte Cates Arm. »Ich kann es nicht fassen, dass du das getan hast.«

»Wenn er kommt, sagst du ihm, dass die Tür offen stand.«

Sie warteten einige Minuten, aber niemand erschien. Cate läutete noch einmal. Keine Antwort.

»Vielleicht liegt er tot auf dem Boden«, meinte Sharon. »Möglicherweise ist dieses Haus dem Tod geweiht.«

»Ja, und vielleicht bist du eine Spinnerin.«

»Sollten wir nicht hineingehen und nach dem Rechten sehen?«

»Nein.«

»Gut. Aber es war deine Idee.« Sharon schob die Tür auf und spähte in die Wohnung.

»Es war nicht meine Idee. Ich sagte nein.«

»Hallo«, rief Sharon leise. »Jemand zu Hause?«

»Mir reicht's. Ich gehe jetzt«, verkündete Cate.

Sharon packte Cate am Zipfel ihres T-Shirts. »Du kannst mich jetzt nicht im Stich lassen. Wir stecken gemeinsam in dieser Sache.«

»Du bist verrückt! Das ist allein deine Sache. Lass mein T-Shirt los!«

»Bitte, bitte, bitte. Ich muss alles über diesen Mann herausfinden. Und vielleicht ist er tatsächlich verletzt oder tot. Als Nachbarn ist es schließlich unsere Pflicht, ihm zu helfen, oder?«

»Wenn er tot ist, können wir ihm nicht mehr helfen. Und wäre er verletzt, würde er stöhnen. Hörst du etwas?«

Sie hielten beide inne und lauschten.

»Kein Stöhnen«, stellte Sharon fest.

»Wahrscheinlich bringt er gerade den Müll nach unten.«

»Aber dann wäre er inzwischen schon wieder oben.« Sharon hatte sich mittlerweile ins Wohnzimmer vorgewagt. »Hübsch hier. Einfach, aber ohne steril zu wirken. Erdige Farbtöne. Ein Flachbildfernseher. Eine afrikanische Fruchtbarkeitsstatue. Gerahmte Poster mit Szenen aus Filmen an der Wand. Schön, aber nicht teuer. Ein wunderschöner Läufer aus Tibet.«

»Ich glaube, wir sollten jetzt gehen«, meinte Cate.

»Nicht, bevor ich sein Schlafzimmer gesehen habe.«

»In Ordnung, aber beeil dich. Ich fühle mich nicht wohl dabei.«

Sharon trippelte auf Zehenspitzen in ihren hochhackigen Schuhen in das Schlafzimmer.

»Warum läufst du auf Zehenspitzen?«, frage Cate.

»Das weiß ich nicht. Ich kann nicht anders. Wahrscheinlich tut man das eben, wenn man sich in eine Wohnung einschleicht.« Sie blieb stehen und sah sich in dem Zimmer um. »Ein großes Bett. Und die Bettwäsche ist verknüllt. Ein Mann, der sich im Schlaf hin- und herwirft. Ansonsten ist sein Schlafzimmer aufgeräumt. Auf seinem Nachttisch liegt ein Kreuzworträtselbuch. Ich glaube, mit diesem Mann könnte ich zusammenleben.«

»Du kennst ihn doch gar nicht! Er könnte Jack the Ripper sein.«

»Jack the Ripper ist tot«, erwiderte Sharon.

»Na gut, dann eben Frank the Ripper.«

Cate warf einen Blick auf ihre Armbanduhr. Sie befand sich erst seit fünf Minuten in dieser Wohnung, aber es kam ihr vor wie fünf Stunden.

»Ich habe keine Fotos von Kindern, einer Ehefrau oder einer Freundin gesehen«, bemerkte Sharon.

Sie standen im Schlafzimmer, als Cate und Sharon hörten, wie zwei Räume entfernt die Wohnungstür ins Schloss fiel und der Riegel vorgeschoben wurde.

Cate schnappte nach Luft. Mr. M. war nach Hause gekommen. Ein Albtraum wurde wahr! *Lauf!*, schoss es ihr durch den Kopf. Lauf! Aber wohin? Das Fenster, dachte sie. Du steigst aus dem Fenster. Allerdings befand sie sich im zweiten Stock. Wahrscheinlich würde sie sich beide Beine brechen. Aber damit konnte sie leben. Dann schlug sie sich gegen die Stirn. Das war dumm. Das Fenster war keine Lösung. Sie mussten sich verstecken. Im Badezimmer? Im Schrank? Cate brach in Panik aus. Sie schwitzte und bekam kaum noch Luft. Ihr Puls raste. Ihre Gedanken jagten von einer Sackgasse in die andere.

»Das Bett!«, rief Sharon. »Wir kriechen unter das Bett.«

Das Himmelbett aus imitiertem antikem Mahagoni besaß keine Staubrüsche, aber die Tagesdecke war sehr groß und hing bis zum Boden herab. Sharon ließ sich fallen und schob sich auf dem Bauch unter den Lattenrost. Cate folgte ihr. Mit weit aufgerissenen Augen lagen sie nebeneinander.

Sie hörten Schritte auf dem Teppich, dann tauchte ein Paar Schuhe in ihrem Blickfeld auf. Joggingschuhe von Nike. Ungefähr Größe 43. Darüber eine Jeans. Mehr konnte Cate nicht sehen. Die Schuhe wanderten im Zimmer herum. Irgendetwas wurde auf den Nachttisch gelegt. Eine Kommodenschublade des Kleiderschranks wurde aufgezogen und wieder geschlossen. Dann waren die Schuhe wieder neben dem Bett zu sehen. Ein braunorangefarbenes T-Shirt fiel auf den Boden. Die Schuhe wurden von den Füßen geschleudert, und weiße Sportsocken wurden abgestreift. Die Jeans wurde auf den Teppich geworfen, gefolgt von einer dunkelblauen Unterhose. Cate und Sharon starrten auf den Kleiderhaufen und die nackten Füße und hielten den Atem an.

Das ist eine unabwendbare Katastrophe, dachte Cate. Was um Himmels willen sollten sie sagen, wenn sie erwischt würden? Sharon ist verliebt in dich, obwohl sie dich noch nie gesehen und keine Ahnung hat, wer du bist. Deshalb sind wir in deine Wohnung geschlichen, haben uns alles angeschaut und uns dann unter dem Bett versteckt. Großartig, das käme sicher gut an. Oder auch nicht.

Die Füße marschierten in das Badezimmer, und sie hörten, wie die Dusche angestellt und der Duschvorhang zugezogen wurde.

Cate und Sharon warfen sich einen Blick zu und krochen unter dem Bett hervor. Leise schlichen sie sich auf Zehenspitzen aus dem Schlafzimmer, rannten durch die Wohnung auf den Flur hinaus und stolperten die Treppe hinauf. In Sharons Wohnung angekommen, schlugen sie die Tür hinter sich zu.

»Ich habe einen Herzanfall«, erklärte Sharon. »Wie sind die Symptome? Heftiges Schwitzen und ein Brennen im Brustkorb?«

»Nein, das klingt eher nach einer Hitzewallung.«

»Dafür bin ich noch zu jung«, protestierte Sharon. »Oder etwa nicht?«

»Ich weiß nicht. Manche Frauen kommen früher in die Wechseljahre als andere. Wie alt bist du?«

Sharon sah sich kurz um und vergewisserte sich, dass sich außer ihnen niemand in der Wohnung befand. »Fast vierzig.«

»Nein! Du siehst viel jünger aus.«

»Vierzig! Und soeben hatte ich eine Hitzewallung. Wahrscheinlich werde ich demnächst eine Seniorenzeitschrift in meinem Briefkasten finden. Und ich werde einen Hängebusen bekommen. Und dann werde ich Antazide schlucken müssen und mir Botox spritzen lassen. Na gut, ein wenig Botox gönne ich mir bereits jetzt, aber nur zur Vorbeugung. Und alles, was ich in meinem Leben habe, ist ein Mann, der ein Phantom ist. Ich hatte seit über einem Jahr keinen Sex mehr!«, jammerte Sharon.

»Du lässt dir Botox spritzen?«

»Nur hin und wieder zwischen die Augenbrauen, damit ich nicht mürrisch aussehe. Niemand kauft einer griesgrämigen Maklerin ein Haus ab. Also, was hältst du von ihm?«, wollte Sharon wissen.

»Von wem?«

»Von Mr. M. Ich finde seine Füße sehr hübsch. Und der dunkelblaue Slip von Calvin war sexy.«

»Du solltest öfter ausgehen«, meinte Cate. »Hast du es schon einmal bei einer Partnervermittlungsagentur versucht?«

»Ja. Aber bisher bin ich immer nur auf den Rechnungen sitzen geblieben.«

Kapitel 16

Cate hastete aus dem Haus und den Bürgersteig hinunter. Sie wollte Kellen den Scanner zeigen, und sie musste duschen und sich umziehen. Es war bereits kurz vor fünf Uhr, und es herrschte dichter Verkehr. Trotz der Lufttemperatur von weit über dreißig Grad fegte eine steife Brise durch die Straßen. Ein Sturm kündigte sich an. Als sie das Stadthaus erreicht hatte, wurde ihr bewusst, dass sie keinen Schlüssel hatte. Sie drückte auf die Türklingel und hoffte, dass Kellen zu Hause war. Leider hatte sie nicht daran gedacht, vorher bei ihm anzurufen.

Kellen öffnete die Tür, und Cate lief an ihm vorbei ins Haus.

»Ich bin spät dran«, stieß sie hervor.

Kellen packte sie am Arm, zog sie an sich und küsste sie. »Wann musst du zu arbeiten anfangen?«

»Um sechs. Aber ich muss noch duschen und mich umziehen.«

Kellen drückte das Gesicht in ihre Halsbeuge. »Du riechst gut. Wie ein Geburtstagskuchen. Du duftest immer nach Kuchen.«

»Ich habe vier Kuchen für den Party-Trolley gebacken, und Julie meinte, ihr Boss würde mich dafür bezahlen.«

»Ich würde dafür bezahlen, um an dir knabbern zu dürfen«, sagte Kellen.

»Tatsächlich? Bezahlst du etwa für ... hm, für Sex?«

Er lächelte. »Nein. Aber du wärst es wert.«

»Ich schätze, das war ein Kompliment.«

»Ich mache nur Konversation. Ich versuche, mit dir im Gespräch zu bleiben, damit ich dich noch ein wenig länger an mich drücken kann.«

Ein solcher Vorwand war eigentlich nicht nötig. Kellens warmer Körper fühlte sich hart und muskulös an ... an einigen Stellen mehr als an anderen. Cate lief Gefahr zu vergessen, was im Augenblick Vorrang hatte.

»Dein Plan ist gut, aber ich muss unter die Dusche. Und ich muss dir etwas zeigen.« Cate kramte in ihrer Handtasche und zog den Scanner heraus.

»Was ist das?«

»Ein Scanner. Damit kann man Mikrochips lesen, die Haustieren zur Identifizierung unter die Haut gepflanzt werden. Er lag in Martys Wohnung.«

Biests Krallen scharrten hörbar über den Holzboden, als er um die Ecke bog und auf Cate zustürmte. Er bremste zu spät ab und prallte mit voller Wucht gegen Cates Beine, so dass ihr die Knie einknickten.

Cate beugte sich zu Biest hinunter und umarmte ihn. »Ich habe dich vermisst«, sagte sie. »Hattest du einen schönen Nachmittag?«

»Wir sind spazieren gegangen, und er hat mit seinen Freunden im Park gespielt«, erzählte Kellen. »Danach hat er eine Schüssel Wasser getrunken und dabei den Küchenboden vollgeschlabbert. Und dann hat er ein Nickerchen gehalten. Sollte ich dich und Biest davon überzeugen können, hier einzuziehen, wird meine Putzfrau öfter als einmal die Woche kommen müssen. Wahrscheinlich werde ich mir dann sogar einen Wischmopp zulegen.«

»Wow, für einen eingefleischten Junggesellen wie dich ist das eine drastische Maßnahme.«

»Das ist nur ein kleiner Preis«, meinte Kellen.

Er sah sich den Scanner an und drückte auf den Knopf, um ihn anzuschalten. »Daran hätte ich denken sollen. Heutzutage ist es üblich, Mikrochips zu verwenden. Das ist mir nur nicht eingefallen.« Er strich mit dem Scanner über Biests Nacken, und auf der digitalen Anzeige erschien eine Zahlenkombination.

»Jetzt haben wir ein Problem«, erklärte Kellen. »Wir haben keine Ahnung, was diese Zahlen bedeuten. Es könnte sich lediglich um eine Identifikationsnummer handeln. Wir wissen, dass Kitty Bergman hinter Biest her war, aber möglicherweise wollte sie sich auch nur den Wassernapf schnappen.«

»Vielleicht sollte ich sie fragen«, schlug Cate vor.

Kellen grinste. »Du willst sie anrufen und fragen?«

»Genau.«

»Das gefällt mir. Hast du ihre Telefonnummer?«

»Nein. Du besorgst sie mir, während ich unter die Dusche springe, und wenn ich aus dem Bad komme, rufe ich sie an.«

»Brauchst du Hilfe beim Duschen?«

»Nein! Ich bin ohnehin zu spät dran!«

»Noch nicht«, meinte Kellen.

»Aber wenn du mich unter die Dusche begleitest, wird das der Fall sein.«

Kellen und Biest warteten im Schlafzimmer, bis Cate aus dem Bad kam.

»Ich habe die Nummer«, sagte Kellen. »Bist du sicher, dass du das tun willst?«

Eigentlich würde sie sich lieber die Hand abhacken, als Kitty Bergman anzurufen. Aber Cate hatte das Gefühl, dass Kitty Biest nicht aufgeben würde. Kitty war eine Frau, die daran gewöhnt war zu bekommen, was sie wollte. Sollte das Halsband in dem Wassernapf der Preis sein und Kitty sich nur deshalb für Biest interessieren, weil es zufällig sein Napf war, dann würde Cate Biest behalten können. Sie bräuchte Kitty nur zu sagen, dass sie die Halskette gefunden und der Polizei übergeben hatte. Und deshalb würde Cate jetzt die schreckliche Kitty Bergman anrufen.

»Ja«, bestätigte Cate. »Wähl ihre Nummer.«

Kellen tippte die Telefonnummer ein und reichte Cate den Hörer.

»Hallo, wie geht's?«, meldete sich Cate.

»Wer ist da?«

»Cate Madigan. Biests Frauchen. Ich wollte wissen, ob Sie immer noch Interesse an Biest haben, jetzt wo Marty … von uns gegangen ist.«

»Natürlich. Marty wollte, dass ich mich um seinen Hund kümmere.«

»Tja, nun hat sich Biest allerdings an mich gewöhnt. Wir haben Freundschaft geschlossen, also dachte ich, es wäre am besten, wenn ich ihn adoptieren würde.«

»Das ist sehr lieb von dir, aber das kommt nicht in Frage.«

»Und dann ist noch etwas sehr Merkwürdiges passiert. Sein Wassernapf ist kaputtgegangen, und im Boden der Schüssel lag eine Halskette mit Diamanten und Saphiren. Können Sie sich das vorstellen? Ich habe das Schmuckstück natürlich der Polizei übergeben.«

»Natürlich«, erwiderte Kitty.

»Wollen Sie Biest immer noch haben?«

»Marty hat sich das gewünscht. Er wollte, dass ich seinen Hund bekomme. Und wenn du ihn mir nicht gibst, werde ich dich zur Strecke bringen. Wenn ich mit dir fertig bin, wird nur noch Staub von dir übrig sein.«

»Ich verstehe. Danke für das Gespräch.« Cate legte auf.

Kellen warf ihr einen Blick zu. »Und?«

»Sie will Biest haben.«

»Am Ende des Telefonats wurde dein Gesicht totenblass.«

»Sie sagte, sie würde mich in Staub verwandeln.«

»Das klingt höchst ungewöhnlich.«

Cate warf einen Blick auf ihre Armbanduhr. »Verflixt! Ich muss los.«

»Ich werde dich begleiten«, erklärte Kellen und legte den Hörer auf die Feststation. »Schließlich möchte ich nicht, dass die böse Hexe Staubkörner aus dir macht.«

Gina und Cate standen nebeneinander an der Theke und ließen den Blick über den halb leeren Raum schweifen.

»Evian muss so schnell wie möglich Ersatz für Marty finden«, meinte Gina. »Ansonsten geht es mit diesem Laden unweigerlich bergab.«

»Ja. Es ist erstaunlich, wie viele Leute sich plötzlich ein anderes Lokal suchen«, meinte Cate.

Gina richtete den Blick auf Evian, der mit gesenktem Kopf am Ende der Theke saß und in einer Schale mit Nüssen kramte. Wahrscheinlich suchte er nach einer bestimmten Sorte. Vielleicht nach einer Cashewnuss. »Armer Kerl«, sagte Gina. »Er wirkt völlig deprimiert. Ich schätze, er hat einige Probleme.«

Cate war der Meinung, dass Evians Probleme verglichen mit ihren erträglich waren. Evian würde möglicherweise sein Lokal verlieren, aber Kitty Bergman hatte vor, sie in Staub zu verwandeln. Der einzige Lichtblick war Cates feste Überzeugung, dass Kellen sich dann gut um Biest kümmern würde.

Der Keyboarder und der Bassist von Martys Band standen auf der Bühne und spielten ohne Marty einige Lieder herunter. Einige Gäste hörten zu, aber die meisten beugten sich teilnahmslos über ihre Drinks. Pugg nahm seine Aufgabe sehr ernst. Er saß an einem Bartisch und beobachtete Cate so aufmerksam, als befürchtete er, sie würde sich jeden Moment in Luft auflösen.

Cate winkte ihn zu sich an die Theke.

»Pugg ist stets zu deinen Diensten«, verkündete er und kletterte auf einen Barhocker.

»Ich weiß, dass du damit beauftragt bist, mich im Auge zu behalten, aber es ist alles in Ordnung. Es ist nett von dir, auf mich zu warten, aber Kellen wird mich abholen, und hier in der Bar kann mir nichts passieren.«

»Pugg hat Julie versprochen, dich nicht aus den Augen zu lassen. Und wenn Pugg dieses Versprechen nicht hält, wird er heute Abend leer ausgehen.«

Cate schmunzelte. Auf eine sehr skurrile Art war er liebenswert. »Du magst Julie?«

»Julie ist ein Engel. Pugg verdient Julie nicht, aber er geht trotzdem mit ihr ins Bett.«

»Ist das alles, woran du interessiert bist? An Sex?«

»Das ist nur ein Abwehrmechanismus. In Wahrheit bin ich verrückt nach ihr, und das jagt mir eine Heidenangst ein. Wie kann jemand wie sie jemanden wie mich lieben?«

»Ich habe das Gefühl, dass hinter diesem Pugg-Getue ein richtig netter Kerl steckt.«

»Ich weiß nicht einmal mehr, wer hinter Pugg steckt.«

»Du solltest dir die Zeit nehmen, um es herauszufinden«, meinte Cate.

Um zehn Uhr klingelte das Telefon in der Bar, und Gina reichte Cate den Hörer.

»Für dich«, sagte sie. »Seinen Namen hat er nicht genannt.«

Cate zapfte noch ein Bier für einen Gast und griff dann nach dem Telefon.

»Cate?«

»Ja?«

»Bitte fall jetzt nicht in Ohnmacht. Hier spricht Marty.«

»Das ist unmöglich. Marty ist … Er ist …«

»Ich bin ans Ufer geschwommen. Ich habe meine Perücke, einen Schuh und meine Handtasche verloren. Und das war eine meiner Lieblingsperücken. Ich habe dreihundert Dollar dafür bezahlt. Hör mir zu.« Er sang ein paar Töne von »Over the Rainbow«.

»O mein Gott«, entfuhr es Cate. »Du klingst tatsächlich wie Marty.«

»Ich bin Marty! Und ich kann nicht in meine Wohnung. Ich bin ausgesperrt. Was zum Teufel ist das für ein Ding an der Tür?«

»Es wurde mehrmals eingebrochen, also habe ich das alte Schloss durch ein neues ersetzt, das man nicht so leicht aufbrechen kann.«

»Ich bin sicher, nicht einmal Houdini könnte es knacken!«

»Wo bist du?«

»Ich stehe auf der kleinen Straße hinter der Bar. Ich habe mich einen Block vom Evian's entfernt in einem Pappkarton versteckt und versucht, mich unsichtbar zu machen. Wie sich herausgestellt hat, bringt es einige Vorteile mit sich, tot zu sein. Vor allem trachtet einem dann niemand mehr nach dem Leben.«

»Vielleicht solltest du zur Polizei gehen.«

»Das ist keine Lösung. Ich muss in meine Wohnung. Wenn ich dort hineinkomme, kann ich das Land verlassen. Und ich muss meinen Hund sehen. Er ist doch in der Wohnung, nicht wahr?«

»Im Augenblick ist er bei einem Freund von mir.«

»Wie konntest du ihn jemand anderem geben? Ich habe ausdrücklich dich gebeten, dich um ihn zu kümmern. Ist er in der Nähe? Hast du den wunderschönen Napf bekommen, den ich dir geschickt habe?«

Cate wandte sich mit dem Rücken zu dem Raum und senkte die Stimme. »Marty, ich habe die Halskette in dem Wassernapf gefunden.«

Einen Augenblick lang herrschte Stille, dann seufzte Marty. »Verdammt«, stieß er hervor.

»Ich habe sie der Polizei übergeben.«

»Hast du ihnen gesagt, woher sie stammt?«

»Nein.«

»Cate, du musst mir helfen. Ich bin auf der Flucht vor Kitty Bergman. Diese Frau ist verrückt. Mein einziger Ausweg ist die Wohnung. Und ich brauche den Hund. Du musst ihn sofort holen und ihn zu meiner Wohnung bringen. Sag Evian doch, du hättest deine Periode bekommen. Ich kann mich nicht länger in diesem Karton verstecken. Ich brauche etwas Anständiges zu essen. Einen sicheren Platz zum Schlafen. Und eine Maniküre.«

»Rein aus morbider Neugier: Von wo aus telefonierst du jetzt?«

»Ich habe ein Handy gestohlen. Ein hübsches Gerät. Es ist eines dieser neuen Motorolas. Leider ist es pinkfarben und trifft daher gar nicht meinen Geschmack.«

»Also gut, wir treffen uns in deiner Wohnung. Und ich werde meinen Freund bitten, Biest vorbeizubringen.«

»Das werde ich wiedergutmachen, das schwöre ich dir. Ich weiß das wirklich zu schätzen.«

Cate legte auf und rief Kellen an.

»Ich habe soeben einen Anruf von Marty bekommen. Ich bin mir sicher, dass er es war, denn er hat mir ›Over the Rainbow‹ vorgesungen. Er will in seine Wohnung. Ich habe ihm versprochen, dass du Biest vorbeibringen wirst und ich ihn in die Wohnung lasse.«

»Ich möchte nicht, dass du allein zu der Wohnung gehst. Ich werde dich im Evian's abholen.«

An den Tischen saß nur noch eine Handvoll Gäste, und die Hälfte der Barhocker an der Theke war bereits leer.

Noch eine Stunde, bis die Bar geschlossen wurde. Ohne Marty Longfellow auf der Bühne hatte es keinen Sinn, den Laden länger aufzulassen. Gina würde ohne sie gut zurechtkommen, wie Cate feststellte.

Sie vergewisserte sich, dass die von ihr ausgestellten Rechnungen alle beglichen waren, und ließ dann Gina und Evian wissen, dass sie sich nicht wohlfühle und eher gehen wolle. Nachdem sie ihre Handtasche aus dem Hin-

terzimmer geholt hatte, ging sie leise durch die schumm-
rige Bar.

»Ich gehe heute eher«, flüsterte sie Pugg zu. »Kellen
holt mich ab. Vielen Dank, dass du auf mich aufgepasst
hast.«

Pugg nickte ihr zu.

Cate trat hinaus in den Schein der kugelförmigen Lampe über der Tür. Ein Gewitter hatte sich über der Stadt
entladen, und von den nass glänzenden Gehsteigen stieg
heißer Dampf auf. Auf der Straße waren nur noch wenige Menschen unterwegs – die meisten hatten während
des Sturms Zuflucht in ihren Häusern gesucht.

Eine schwarze Limousine fuhr vor dem Evian's an
den Randstein heran, die Beifahrertür flog auf, und ein
Mann stieg aus. Es dauerte einen Augenblick, bevor Cate
ihn erkannte. Es war einer von Kitty Bergmans Schlägertypen. Cate drehte sich rasch wieder zur Bar um und
griff nach der Türklinke, als sie zurückgerissen wurde.
Vor ihren Augen erschien ein Blitz, und sie hörte ein zi-
schendes Geräusch, bevor für einen Moment alles um
sie herum schwarz wurde. Ihre Knie gaben nach, und
in ihrem Kopf drehte sich alles. Sie stolperte und wurde
hochgezogen. Irgendjemand packte sie mit den Händen
unter den Achseln und schleifte sie mit sich. Und dann
saß sie auf dem Rücksitz eines Wagens neben einem
Fremden. Ihre Hände waren gefesselt, und sie hatte keine Erinnerung daran, wie das geschehen war. Sie schüttelte vorsichtig den Kopf, um wieder klar sehen zu kön-

nen, und starrte den Mann an, der neben ihr saß. Es war Marty. Er war unrasiert und unfrisiert und trug eine ausgebeulte, schmutzige Jeans und ein verknittertes Baumwollhemd.

»Du hast mich hereingelegt«, sagte Cate zu Marty.

»Nein«, protestierte Marty. »Sie standen hier und warteten auf dich. Und sie sahen mich um die Ecke biegen.«

Einer der Männer auf dem Vordersitz drehte sich zu Cate um. »Ja, wir hatten Glück. Zuerst haben wir ihn nicht erkannt. Wir hielten ihn ja für tot. Er hat unsere Aufmerksamkeit auf sich gezogen, weil er sich anders bewegte als ein normaler Mann auf der Straße. Und dann sahen wir, dass es Marty war.«

»Warum habt ihr mir aufgelauert?«

»Es tut mir leid«, warf Marty ein. »Als sie mich zum ersten Mal schnappten, habe ich ihnen von dem Wassernapf und dem Mikrochip unter Biests Haut erzählt. Und unglücklicherweise hast du den Hund.«

»Genau«, bestätigte der Mann auf dem Vordersitz. »Und Marty kann Schmerzen nur schlecht ertragen.« Er zückte sein Handy und wählte eine Nummer. »Wir haben sie«, berichtete er jemandem am anderen Ende. »Und nicht nur sie. Das wird Ihnen gefallen. Wir haben Marty erwischt. Anscheinend ist er ein guter Schwimmer.«

Sie bogen von der Columbus Avenue in die Dartmouth Street ein. Es ging nur langsam voran. Samstagabend, und es hatte geregnet, also waren alle mit dem Auto unterwegs. Cate drehte sich um und warf einen Blick aus dem

Rückfenster. Und entdeckte Pugg, der hinter dem Wagen herrannte. Sie war dankbar und entsetzt zugleich. Auf keinen Fall wollte sie, dass die Kerle auch Pugg schnappten. Sie hatte Angst, dass Pugg sich nicht vor Schmerzen fürchtete. Er spielte so gern den Helden, dass es dabei irgendwann schlecht für ihn ausgehen könnte.

»Was habt ihr vorhin mit mir gemacht?«, erkundigte sich Cate.

»Das war eine Elektroschockpistole«, erklärte der Mann auf dem Vordersitz. »Wir haben dir nur einen kleinen Stoß versetzt. Bei Marty reichte die Menge aus, um sein Haar zu kräuseln, bevor wir ihn von der Brücke stießen.« Er warf Marty einen Blick zu. »Wer hätte gedacht, dass du es trotzdem schaffst, ans Ufer zu schwimmen.«

Cates Magen krampfte sich zusammen, und ihr Herz klopfte heftig. Die Atmosphäre in dem Wagen war zwar eher friedlich als feindselig, aber ihre Hände waren vor ihrem Körper gefesselt, und sie wurde entführt. Offenbar hatte Marty den Kerlen erzählt, was sie wissen wollten, und trotzdem hatten sie ihn von der Brücke gestoßen. Cate hatte nichts dagegen einzuwenden, Biest zu holen, so dass die Kerle den Code ablesen konnten, solange sie ihn ihr unversehrt wieder zurückgaben. Selbst wenn Marty tatsächlich ein Dieb war, konnte sie kaum glauben, dass er etwas so Wertvolles besaß, was diesen ganzen Ärger und das Risiko rechtfertigte.

Die Limousine bog nach links in die Commonwealth Avenue ein, und Cate sah Pugg mit wehenden Hemdzipfeln auf dem Gehsteig neben dem Auto herlaufen. Er hatte den Blick fest auf den Wagen gerichtet und prallte frontal mit einer Frau mit einem Schäferhund zusammen. Dann sah Cate nur noch, dass Pugg ausgestreckt und bewegungslos auf dem Pflaster lag.

Der Wagen bog in die Seitenstraße hinter dem Haus mit der roten Tür ein und parkte dort.

»Wir werden jetzt aussteigen und das Haus durch den Hintereingang betreten«, erklärte einer der Männer. »Falls ich auch nur einen Ton von euch höre, bekommt ihr die Elektroschockpistole zu spüren. Falls ihr euch wehrt, gilt das Gleiche. Und wenn ihr davonzulaufen versucht, schlage ich euch zuerst nieder und setze dann meine Elektroschockpistole ein.«

»Schon gut«, erwiderte Cate. »Wir haben es kapiert.«

Cate und Marty wurden durch die Hintertür in die Küche geführt und dann durch den Flur und die Treppe hinauf in ein Schlafzimmer.

»Ihr werdet hier warten. Versucht nicht, irgendetwas Dummes zu tun, wie zum Beispiel aus dem Fenster zu springen. Wir würden eure Schmerzensschreie hören, wenn ihr auf dem Boden aufschlagt. Und wir würden eure gebrochenen Knochen zurück ins Haus schleifen und euch wieder in dieses Zimmer sperren.«

Die beiden Männer verließen den Raum und schlossen die Tür hinter sich ab.

»Ich nehme an, wir warten auf Kitty Bergman«, meinte Marty. »Ihh! Sie ist wie ein schleimiges Monster, das

217

sich in Klamotten von Chanel hüllt. Das passt einfach nicht!«

»Welche Vereinbarung hast du mit Kitty Bergman? Ich weiß, dass du Juwelen geklaut hast. Aber was hat Kitty damit zu tun?«

Kapitel 17

Marty hatte sich auf die Bettkante gesetzt. »Ich kann es dir eigentlich verraten. Diese Hexe wird mich wahrscheinlich ohnehin umbringen. Wir zwei hatten eine wunderbare Abmachung. Zumindest, bis Kitty komplett verrückt geworden ist. Kitty und ich sind schon seit Langem befreundet. Ich kannte sie bereits vor ihrer Heirat mit Ronald Bergman, als sie noch als Bedienung in einem Lokal namens Domino an der Nordküste arbeitete. Und Kitty wusste, dass ich schon immer flinke Finger hatte. Ich habe allerdings nie etwas Wertvolles gestohlen. Es war eine Art Hobby für mich. Ich tat es, um mich zu amüsieren. Vor einigen Jahren schlug mir Kitty dann vor, mein besonderes Talent für einen guten Zweck einzusetzen. Kitty engagierte sich bei jeder Wohltätigkeitsveranstaltung, die man sich vorstellen kann, und Ronald war ein unglaublicher Geizkragen. Kitty zwackte Geld ab, indem sie Rechnungen für die Haushaltsführung und alles Mögliche fingierte. Dieses Geld spendete sie dann bei diversen Wohltätigkeitsveranstaltungen, aber es war einfach nicht genug. Kitty hatte eine Menge Versprechungen gemacht, die sie nicht einhalten konnte. Also schlug sie mir vor, mich für Auftritte bei Veranstaltungen zu empfehlen, wo ich dann in einem freien Moment nach einem hübschen Schmuckstück Ausschau halten sollte. Zurück in Boston, sollte ich den Schmuck an einen Hehler verkaufen und Kitty das Geld geben. Ich erhielt dann eine Provision. Meiner Meinung nach war das sehr nobel. Ich stahl den Reichen Schmuckstücke, und Kitty verteilte den Erlös dafür an die Armen. Eigentlich war ich wie Robin Hood.«

Cate fragte sich, ob Robin Hood in seiner Höhle originale Kunstwerke gesammelt und irgendwo im Sherwood Forest einen Porsche versteckt hätte.

»Tja, wir hielten das ein paar Jahre so, bis ich anfing, mir Gedanken zu machen. Kitty geriet außer Kontrolle. Sie brauchte immer mehr Geld, und ich hatte das Gefühl, dass wir zu viel klauten. Zur Sicherheit verkaufte ich das eine oder andere Stück in Europa, aber trotzdem nahm die Sache enorme Ausmaße an. Also schmiedete ich einen Plan. Ich beschloss, einige Schmuckstücke zu bunkern, bis die Ware nicht mehr so heiß war. Und wenn ich dann genügend Juwelen auf die Seite gebracht hatte, würde ich eine Weile zu stehlen aufhören. Dann hätten wir ein Stück nach dem anderen verhökern können, wann immer wir Geld brauchten.«

»Und das hat Kitty nicht gefallen«, vermutete Cate.

»Kitty hatte große Summen für Krankenhäuser und das Bildungsprogramm zugesagt. Alles wunderbare Projekte, aber dafür hätte ich die nächsten vierzig Jahre ununterbrochen arbeiten müssen. Ich sagte ihr, dass sie einen anderen Weg finden müsse, um ihre Spenden zu finanzieren. Und dann beging ich den Fehler, ihr von den Rücklagen zu erzählen. Sie bestand darauf, alles sofort zu verkaufen, aber ich weigerte mich. Die meisten der Schmuckstücke im Safe waren Unikate und noch viel zu heiß. Es wäre reiner Selbstmord gewesen, all diese Juwelen auf einmal in Umlauf zu bringen.«

»Und deshalb hat sie dich von der Brücke stoßen lassen?«

»Mir war klar, dass sie stinksauer war, aber mit einer solchen Reaktion hatte ich nicht gerechnet. Ich hatte ihr doch alles gesagt, was sie wissen wollte – ich hatte ihr von Biest und dem Safe erzählt. Es gab wirklich keinen Grund, mich von der Brücke zu werfen. Meiner Meinung nach liegt es an ihrem Alter. Die Hormone, du weißt schon. Ich habe daher beschlossen, nie wieder mit Frauen im Klimakterium Geschäfte zu machen.«

»Und was war mit deinem Agenten? War er auch in den Wechseljahren?«

Marty legte eine Hand auf seine Brust. »Dieser grässliche Kerl! Es hat ihm nicht gereicht, mich auszusaugen wie ein Vampir. Er verlangte zwanzig Prozent von all meinen Einnahmen. Und dann hat er mich auch noch zu erpressen versucht. Nach einem meiner Auftritte im letzten Monat war ich unvorsichtig, und er entdeckte eine Halskette in meinem Koffer. Ich hatte nicht mit ihm gerechnet, als er unverhofft vorbeikam, während ich auspackte. Üblicherweise ging ich immer sofort zu Kittys

Haus an der Commonwealth Avenue und legte die Beute dort in den Safe, bis ich sie verkaufen konnte. Nachdem ich jedoch beschlossen hatte, etwas zur Seite zu legen, ließ ich mir auch in meiner Wohnung einen Safe einbauen. So kam es, dass Irwin die Halskette sah. Ich war spät nach Hause gekommen, und der Koffer stand noch offen. Ich erzählte ihm, das Schmuckstück gehöre zu meiner Judy-Garland-Kollektion, aber das kaufte er mir nicht ab. Er hatte in den Nachrichten eine Meldung über den Diebstahl gesehen, und sie hatten ein Bild von der Kette gezeigt.«

»Also hast du ihn die Treppe hinuntergestoßen?«

»Meine Güte, nein! Ich bin zwar ein Dieb, aber kein Mörder! Aber ich war wütend. Es war so ungerecht, dass Irwin mich erpressen und Geld von mir haben wollte. Ich hatte ihm schon einmal etwas gegeben, und jetzt wollte er wieder welches haben. Kannst du dir das vorstellen? Dieser Kerl besaß keinen Anstand. Aber was kann man von so einem Menschen schon erwarten? Er war Agent, und meiner Meinung nach ist das ein anderes Wort für Parasit.«

Cate glaubte, dass Marty wahrscheinlich anders über Agenten denken würde, wenn er arbeitslos wäre und keinen Job finden könnte, aber was zum Teufel verstand sie vom Showbusiness?

»Ich habe bemerkt, dass in der Küche ein Messer fehlte«, sagte Cate.

»Ja, diese Situation habe ich sehr genossen. Als er Geld

von mir forderte, drehte ich durch und schlug ihm mit der Faust ins Gesicht. Das war das erste Mal in meinem Leben, dass ich jemanden geschlagen habe, und es ist mir richtig gut gelungen. Ich habe ihn direkt auf die Nase getroffen, es knackte, und er begann zu bluten und zu schreien. Da gab es für mich kein Halten mehr. Ich packte das Tranchiermesser und drohte ihm, ihn damit in kleine Stücke zu zerlegen. Er rannte aus der Wohnung und wollte zum Aufzug laufen, aber ich folgte ihm mit dem Messer in der Hand. Da entschloss er sich, die Treppe zu nehmen, rutschte aus, fiel hinunter und brach sich das Genick. Meiner Meinung nach war das Schicksal.«

Cate sah sich in dem Zimmer um. Es sah so aus, als wäre es mit Möbelstücken eingerichtet worden, die Kitty in ihrem großen Haus nicht länger hatte haben wollen. Ein breites Doppelbett mit einer cremefarbenen Tagesdecke. Ein mit pfirsichfarbenen Rüschen eingefasstes Kopfbrett. Vor dem Bett ein orientalischer Läufer auf dem Boden. Eine kunstvoll gefertigte Kommode aus Mahagoni. Einige Kunstdrucke von Audubon in schmalen Walnussholzrahmen. Beim Hereinkommen hatte sie bemerkt, dass sich in diesem Stockwerk zwei Schlafzimmer befanden. Sie nahm an, dass dies nicht der Raum war, in dem Marty schlief, wenn er das Haus benutzte. Es befanden sich keinerlei persönliche Gegenstände in dem Zimmer. Keine Fotos, Bücher oder Magazine. Keine Pfefferminzbonbons, Schlüssel oder Kleingeld. Und sie konnte sich nicht vorstellen, dass Marty das pfirsichfarbene Kopfbrett ertragen würde. Es war hübsch, aber es entsprach überhaupt nicht Martys Geschmack.

»Ich nehme an, wir warten auf Kitty«, sagte Cate.

»Das glaube ich auch. Samstagabend. Wahrscheinlich holen sie sie von einer ihrer Dinnerpartys in der High Society weg. Darüber wird sie nicht begeistert sein.« Marty grinste. »Wenigstens etwas, woran ich mich freuen kann.«

Sie hörten, wie unten eine Tür geöffnet und wieder geschlossen wurde. Dann ertönten gedämpfte Stimmen und schließlich Schritte auf der Treppe.

Die Tür zum Schlafzimmer flog auf, und einer der Männer streckte seinen Kopf herein. »Sie will unten mit euch reden.«

Cate und Marty gingen nacheinander die Treppe hinunter und stießen in der Diele auf Kitty. Sie trug einen weißen, mit schwarzer Borte verzierten Hosenanzug, und wie immer hing eine Tasche von Chanel über ihrer Schulter.

»Das ist wirklich witzig«, fauchte Kitty Marty an. »Ich werde dich wohl ein zweites Mal von der Brücke stoßen lassen müssen. Und dieses Mal sollten wir dir vorher etwas an die Fußknöchel binden… vielleicht einen Volkswagen.«

»Warum willst du mich von einer Brücke stoßen?«, fragte Marty. »Wozu dieses Theater?«

»Ich traue dir nicht.«

»Wenn ich zur Polizei ginge, würde ich hinter Gittern

landen, und sie würden den Schlüssel zum Schloss weg-
werfen.«

»Stimmt, aber du könntest auch zu meinem Mann gehen.«

»Oh«, meinte Marty. »Daran habe ich noch gar nicht
gedacht.«

Kitty wandte sich um. »Ich brauche den Hund«,
schnauzte sie Cate an. »Wie wollen wir dieses Problem
lösen?«

»Ich könnte meinen Freund anrufen und ihn bitten,
den Hund zur Wohnung zu bringen«, schlug Cate vor.
»Oder ich könnte Biest holen und ihn selbst dorthin
bringen.«

»Die erste Möglichkeit gefällt mir besser«, erwiderte
Kitty. »Ruf deinen Freund an.«

»Ich habe kein Telefon. Ihre Männer haben mir meine
Handtasche weggenommen.«

Die Tasche wurde Cate gebracht, und sie kramte mit
immer noch gefesselten Händen nach ihrem Handy. Als
sie es gefunden hatte, wählte sie Kellens Telefonnummer und hatte den Hörer bereits am Ohr, als mit einem
Mal sowohl die Vorder- als auch die Hintertür aufflo-
gen.

An der vorderen Haustür stand Kellen mit gezogener
Waffe in der Hand, und durch die Küche kamen Julie
und Pugg gestürmt. Auch Julie trug eine Waffe, und Pugg
schwang einen Fleischklopfer, den er sich, wie Cate vermutete, auf dem Weg durch die Küche geschnappt hatte.

Einer von Kittys Männern zückte ebenfalls eine Pistole, aber Kitty riss sie ihm aus der Hand und packte Cate.

»Stehen bleiben!«, befahl Kitty. »Keine Bewegung, sonst bring ich sie um, das schwöre ich. Ich habe zu hart gearbeitet, um mir jetzt alles kaputtmachen zu lassen. Am Anfang habe ich die Briefkuverts für die Stille Auktion zugunsten der Krankenhäuser angeleckt, und jetzt bin ich kurz davor, in den Vorstand gewählt zu werden. In den Vorstand! Habt ihr eine Ahnung, wie schwer es ist, in den Vorstand gewählt zu werden? Wisst ihr, was das bedeutet? Es heißt, dass ich dann beim Twinkle-Ball den Vorsitz führen würde. Ich wäre diejenige, die die Sitzordnung ausarbeitet! Kitty Bergman aus Quincy wäre für die Sitzordnung zuständig! Vor zwei Jahren war das die Aufgabe dieser Hexe Patty Fuch, und sie wies mir einen Platz auf der Balustrade zu. Ich trug Herrara, und niemand hat mich gesehen. Niemand hat meine Harry-Winston-Halskette bemerkt. Und niemand hat meine Valentino-Schuhe bewundert. Jetzt werde ich in den Vorstand gewählt, und dann werde ich dieser dummen Kuh zeigen, wo sie hingehört. Patty Fuch wird an dem Tisch neben dem verdammten Männerklo sitzen.«

»Kitty«, unterbrach Marty sie. »Glaubst du nicht, dass du allmählich durchdrehst?«

»Halt die Klappe, du Verräter. Du bist nichts als ein dahergelaufener Dieb in Frauenunterwäsche.«

»Ich trage keine Damenschlüpfer, sondern Herrenslips, die die männlichen Konturen minimieren.«

»Sobald ich den Hund und die Juwelen, die du mir gestohlen hast, in den Händen habe, werde ich deine gesamte Kontur minimieren«, drohte Kitty.

Biest hatte bisher hinter Kellen gestanden. Jetzt stieß er ein lautes Knurren aus, schob Kellen zur Seite und stürzte sich auf Kitty. Er bohrte seine Zähne in den Schulterriemen von Kittys Handtasche, riss ihn ihr von der Schulter und schlug ihr dabei die Waffe aus der Hand.

»Das ist eine Tasche von Chanel!«, kreischte Kitty. »Um Himmels willen, tut etwas! Er besabbert ein Modell von Chanel.«

Biest schüttelte die Tasche hin und her, bis er davon überzeugt war, dass er sie erledigt hatte, und wandte sich dann Kitty zu. Er bellte laut auf, legte seine Vorderpfoten auf ihre Brust, warf sie zu Boden und setzte sich auf sie.

»Hilfe«, stöhnte Kitty.

»Was für ein guter Hund«, meinte Julie. »Mein Nachbar Jimmy Spence hatte früher einen Wachhund. Wenn irgendjemand Jimmy dumm kam, zerfetzte ihm dieser Hund die Kleider, stieß ihn dann um und bestieg ihn, als wäre er eine Hündin. Das war kein schöner Anblick.«

»Sehen Sie, Kitty«, sagte Cate. »Es könnte alles noch schlimmer sein. *Das* hat Biest zumindest nicht getan.«

Kellen sah Cate an. »Alles in Ordnung mit dir?«

»Ja. Mit dir auch?«

»Nein. Ich bin total durcheinander. Noch nie in meinem ganzen Leben hatte ich solche Angst. Pugg rief an und sagte, du seist entführt worden, und mein Herzschlag setzte aus.«

»Ich hätte dich selbst gerettet«, warf Pugg ein. »Aber ich war eine Weile bewusstlos.«

»Armer kleiner Pugg«, sagte Julie mitfühlend. »Sobald wir hier Ordnung geschaffen haben, werde ich dich mit zu mir nach Hause nehmen und dich verwöhnen. Du bist mein Held.«

Pugg sah so aus, als würde er jeden Moment wie eine Katze zu schnurren beginnen.

Kellen nahm einem der Männer die Schlüssel für die Handschellen ab und befreite Cate von ihren Fesseln.

»Die Zahlen auf Biests Mikrochip stellen die Kombination für einen Safe in der Wohnung dar«, berichtete Cate Kellen.

»Ich habe alles abgesucht, aber keinen Safe gefunden.«

»Es gibt einen Safe«, erklärte Marty. »Du hast ihn nur nicht entdeckt.«

»Befindet sich in diesem Haus hier ein Schrank, den man von außen absperren und von innen nicht öffnen kann?«, wollte Kellen von Marty wissen.

»Ja, oben gibt es einen Wandschrank.«

Kellen sah nach, ob die zwei Männer und Kitty weitere Schlüssel und Handys bei sich trugen, und fesselte die beiden Männer mit den Handschellen aneinander, die er Cate abgenommen hatte. Dann brachte er sie und Kitty nach oben und sperrte die drei in den Schrank.

»Für eine Weile werden sie es dort drin aushalten. Zumindest so lange, bis ich entschieden habe, wie wir diese Sache erledigen«, sagte Kellen. »Lasst uns zur Wohnung fahren und nachschauen, was wir dort finden.«

Sie gingen gemeinsam zu Kellens Wagen und blieben vor dem Mustang stehen.

»Wir passen nicht alle hinein«, stellte Kellen fest.

»Steigt ein«, sagte Julie. »Pugg und ich finden allein nach Hause.«

Kapitel 18

Marty, Kellen und Biest stiegen gemeinsam mit Cate aus dem Aufzug, hasteten den Flur hinunter und warteten, bis Cate den Nummerncode eingegeben hatte, um die Wohnungstür zu öffnen.

»Okay«, sagte Kellen zu Marty, als alle in der Wohnung waren. »Wo ist der Safe?«

»Ich glaube nicht, dass ich dir das verraten sollte«, antwortete Marty. »Ich bin dir sehr dankbar für die Rettungsaktion, aber wo der Safe ist, möchte ich lieber für mich behalten.« Er schenkte Kellen ein Lächeln à la Doris Day. »Allerdings werde ich mich gern erkenntlich zeigen, wenn die Zeit gekommen ist, einen Teil der Ware zu verkaufen.«

»Ich habe schlechte Nachrichten für dich«, eröffnete Kellen ihm. »Ich bin Privatagent für Wiederbeschaffung, und du bist im Besitz von Dingen, die mindestens einem meiner Kunden gehören. Du kannst den Safe entweder jetzt öffnen, oder du wirst es tun müssen, sobald die Polizei eingetroffen ist.«

»Aber ich bin Robin Hood«, protestierte Marty. »Wir haben das Geld für wohltätige Zwecke verwendet.« Sein Blick streifte kurz den Warhol an der Wand. »Fast alles.«

»Und was ist mit dem toten Agenten?«, fragte Kellen.

»Das war ein Unfall. Er geriet in Panik, rutschte aus und fiel die Treppe hinunter. Das schwöre ich bei dem Grab meiner Mutter.«

»Oh, mein Beileid«, murmelte Cate.

»Nun, sie ist noch nicht gestorben«, erklärte Marty. »Der Schwur war prämortal zu verstehen.«

Kellen wirkte ungerührt, und Cate nahm an, dass er Marty nicht glaubte. Sie war sich auch nicht sicher, ob die ganze Geschichte wahr war, aber sie verspürte ein wenig Mitleid mit Marty. In den zerlumpten Kleidungsstücken sah er erbärmlich aus. Auf seiner Stirn klaffte eine Platzwunde, und seine rechte Wange war blau verfärbt und abgeschürft. Sein rechtes Auge war teilweise zugeschwollen, und er brauchte wirklich dringend eine Maniküre.

»Wirst du mich der Polizei übergeben?«, wollte Marty wissen.

»Das habe ich noch nicht entschieden«, erwiderte Kellen. »Beruflich gehört die Ergreifung von Flüchtigen nicht zu meinen Aufgaben, aber als Bürger habe ich die Pflicht, ein Verbrechen zu melden, wenn ich davon Kenntnis erhalten habe.«

»Nehmen wir an, ich würde den Safe öffnen, dir den gesamten Schmuck geben und dir versprechen, nie wieder etwas zu stehlen.«

»Evian braucht ihn dringend in der Bar«, warf Cate ein. »Und selbst wenn Kittys Motive nicht wirklich edel waren, so hat sie doch viel Gutes für das Gemeinwesen getan.«

Kellen sah Cate an. »Es könnte auch nur Humbug sein, dass der Agent verunglückt ist. Außerdem würden wir uns zu Komplizen bei etlichen Verbrechen machen, wenn wir die Polizei nicht über Marty informieren.«

»Es fällt mir einfach schwer, mir Marty im Gefängnis vorzustellen. Und es wäre eine Schande, wenn er die Leute nicht weiterhin unterhalten könnte.«

»Also gut, hier ist mein Vorschlag«, sagte Kellen zu Marty. »Ich gebe dir 24 Stunden Vorsprung. Du kannst das Land verlassen oder dich selbst der Polizei stellen und alles gestehen. Wenn du einen guten Anwalt zur Polizei mitnimmst, wird es wahrscheinlich zu einem Vergleich kommen. Du könntest Kitty Bergman auffliegen lassen und würdest wahrscheinlich eine Mindeststrafe erhalten.«

»Ich nehme das Angebot an«, erklärte Marty sich einverstanden.

»Und jetzt zeig uns den Safe.«

Marty ging voraus, und Kellen, Cate und Biest folgten ihm.

»Ich habe mir Sorgen wegen Kitty gemacht«, erklärte Marty. »Ich wusste, dass sie diese beiden Schlägertypen, die zu allem fähig sind, angeheuert hatte. Und ich meine wirklich zu allem. Also ließ ich den Safe installieren, für den Fall, dass die Sache eskalieren und die Schläger neugierig werden würden. Er lässt sich nur mit einem fünfzehnstelligen Code öffnen, und ich kann mir keine Zahlen merken. Ich habe schon Schwierigkeiten, meine Telefonnummer zu behalten. Aufschreiben wollte ich den Code nicht, weil ich Angst hatte, sie könnten den Zettel finden. Also ließ ich dem Hund einen Mikrochip einpflanzen, als ich mit ihm spazieren ging, bevor ich ihn dann kaufte. Ich dachte mir, dass man den Code für eine Identifikationsnummer halten würde, selbst wenn ihn jemand ablesen sollte. Was ich nicht vorhersehen konnte, war Kittys Bereitschaft, mir Schmerzen zuzufügen, und meine Unfähigkeit, diese auszuhalten. Schon als sie mir den ersten Schlag versetzten, bin ich mit der Wahrheit herausgeplatzt.«

Die Besenkammer war eigentlich nur ein Schrank im Flur. Darin befanden sich ein Boiler, ein Ofen und zwei Sicherungskästen. Kein Safe, soweit Cate das sehen konnte.

»Hast du jemals eine Sicherung abschalten müssen?«, fragte Marty Cate.

»Nein.«

Marty öffnete die Türen der beiden Sicherungskästen. Beide sahen gleich aus. Die Sicherungsschalter in dem oberen Kasten waren beschriftet: Badezimmer, Küche, Schlafzimmer und Wohnzimmer. In dem unteren Sicherungskasten befanden sich keine Schilder. Marty betätigte rasch einen der Schalter dreimal, und die Wandplatte öffnete sich und gab den Blick auf einen Safe frei.

»Nicht schlecht«, bemerkte Kellen. »Ich hatte mich bereits über den zweiten Sicherungskasten gewundert.«

Kellen tippte den Code ein, und der Safe ging mit einem Klicken auf.

»Ich habe alle meine Lieblingsstücke aufbewahrt.« Marty seufzte und nahm eine mit blauem Samt bezogene Schatulle heraus. »Ehrlich gesagt bin ich mir bei einigen nicht sicher, ob ich mich freiwillig davon hätte trennen können.«

Kellen öffnete das Schmuckkästchen und packte die Juwelen aus. Vier Halsketten, zwei Armbänder, eine Brosche, zwei Ringe und zwei Paar Ohrringe, alle einzeln in blaue Samttücher gewickelt.

»Die Halskette, nach der ich gesucht habe, ist dabei«, stellte Kellen fest. »Und außerdem sehe ich hier vier weitere Stücke, die auf meiner Liste stehen. Wenn du dich entscheiden solltest, dich der Polizei zu stellen, werde ich deine Geschichte bestätigen und gegen Kitty Bergman aussagen. Aber du musst dich einverstanden erklären, Biest Cate zu überlassen.«

»Natürlich kann Cate Biest behalten, wenn sie das möchte. Und sie kann gern in meiner Wohnung bleiben, so lange sie will, falls ich … weggebracht werde. Ich werde gleich morgen früh zur Polizei gehen«, erklärte Marty. »Und bis dahin werde ich meine Wohnungstür verriegeln und niemanden hereinlassen … nur für den Fall, dass Kitty sich aus dem Schrank befreien kann.«

Cate, Kellen und Biest fuhren mit dem Aufzug zur Lobby hinunter.

»Was sollen wir mit Kitty machen?«, fragte Cate. »Wir

können sie doch nicht die ganze Nacht über in dem Schrank lassen.«

»Ich bin sicher, dass sie sich mittlerweile längst nicht mehr in dem Schrank befindet. Wir haben sie dort mit zwei kräftigen Kerlen eingesperrt, und die Tür war nicht gerade massiv.«

Julie, Pugg und Sharon standen in der Lobby. »Wir haben Sharon auf ihrem Nachhauseweg vom Kino getroffen«, berichtete Julie. »Und jetzt haben wir hier gewartet, um zu erfahren, was passiert ist.«

»Alles in Ordnung«, sagte Cate. »Kellen hat die Halskette gefunden, die er gesucht hat, und Marty ist in seiner Wohnung und in Sicherheit. Er muss jetzt einige Dinge klären und ein paar Entscheidungen treffen.«

Sharon schüttelte den Kopf. »Man kennt keinen Menschen wirklich. Wer hätte gedacht, dass Marty und Kitty gemeinsam Schmuck klauen?«

»Das ist wie beim Rosaroten Panther«, meinte Julie. »Ich liebe diese Filme. Wahrscheinlich wird mein nächstes Buch von Marty handeln.«

Ein Mann kam durch die Haustür in die Lobby und ging zu den Briefkästen. Er zog einen Schlüssel aus seiner Tasche und sperrte den Kasten mit der Aufschrift »Mr. M.« auf.

Alle Blicke waren auf den Mann geheftet.

»O mein Gott, sind Sie Mr. M.?«, fragte Julie.

»Ja. Mr. Michael Menzenbergenfelt. Mein Name passte nicht auf das Schild.«

Er war Mitte vierzig. Dunkles Haar, leicht zurückweichender Haaransatz, mittelgroß, von durchschnittlichem Körperbau, in der Taille ein wenig stärker, gewinnendes Lächeln. Und Cate wusste, dass er wohlgeformte Fußknöchel hatte und zu Plattfüßen neigte.

»Wir haben uns einige Gedanken über Sie gemacht«, verriet Julie ihm. »Sie sind der Mann der Geheimnisse in diesem Haus. Niemand bekommt Sie jemals zu Gesicht.«

»Ich bin Schriftsteller. Historische Romane, die sich meistens um Bonaparte drehen. Ich musste einen Abgabetermin einhalten und gleichzeitig auf eine Lesereise gehen. Daher war ich nicht oft hier, und wenn, dann zu ungewöhnlichen Zeiten.«

»Julie ist auch Schriftstellerin«, erklärte Cate.

»Haben Sie schon etwas veröffentlicht?«, erkundigte sich Michael.

»Nein. Aber vielleicht wird es eines Tages so weit sein. Ich habe gerade erst begonnen.«

»Ihr Buch ist wunderbar«, meinte Cate.

»Lassen Sie mich wissen, wenn ich Ihnen helfen kann«, sagte Michael. »Ich nehme an, wir sind Nachbarn.«

»Ja, wir wohnen in 4A, 3A und 3B«, erwiderte Julie.

Sharon trat einen Schritt näher. »Sharon Vizzallini von 3B.« Sie reichte ihm ihre Visitenkarte. »Falls Sie irgendwann eine Immobilie suchen sollten.«

»Tut mir leid, ich brauche keine Immobilien.« Er warf einen Blick auf ihre linke Hand. Kein Ring. »Aber wie wäre es mit einem Abendessen?«

»Gern«, antwortete Sharon. »Morgen um sechs?«

»Ich habe Ihre Bücher gelesen«, sagte Kellen zu Mr. M. »Ich bin ein Fan von Ihnen. Die Ära von Bonaparte war faszinierend.«

Cate und Kellen starrten auf Kellens Bett. Biest hatte sich über die gesamte Breite ausgestreckt. Er öffnete ein Auge, schaute die beiden kurz an und schloss dann das Lid wieder.

»Du wirst ihn wegschieben müssen«, meinte Cate.

»Ich? Er ist dein Hund!«

»Schon, aber er ist so groß, und er wird ungehalten, wenn man ihn aufweckt.«

»Willst du damit etwa sagen, dass du immer noch Angst vor deinem eigenen Hund hast?«

Cate presste die Lippen aufeinander. »Natürlich nicht. Ich möchte nur nicht, dass er sich aufregt. Okay, manchmal beunruhigt es mich etwas, wenn er zu knurren anfängt.«

»Er ist ein wahres Schmusekätzchen«, behauptete Kellen.

»Na gut, dann schieb du das Schmusekätzchen zur Seite.«

Kellen packte Biests Vorderpfoten und zog daran. Ein Knurren kam tief aus Biests Kehle, aber der Hund weigerte sich, sich zu bewegen oder seine Augen zu öffnen.

»Das ist doch lächerlich«, sagte Kellen. »Ein Sack mit nassem Zement wäre leichter zu schieben.«

»Vielleicht haben wir unten noch einen Bagel. Mit etwas zu fressen könnten wir ihn vielleicht anlocken.«

»Ich habe den letzten Bagel gegessen. Und außerdem ist das eine Herausforderung. Hier geht es um den Kampf Mensch gegen Bestie. Und ich werde gewinnen.« Kellen packte Biest und zerrte und schob so lange, bis sie beide der Länge nach auf dem Bett lagen. »Okay«, schnaufte Kellen. »Jetzt muss ich ihn nur noch dazu bringen, dass er sich auf seine Seite des Betts legt.«

Cate schlug eine Hand vor den Mund, um nicht laut loszuprusten.

»Das habe ich gesehen«, sagte Kellen. »Wenn du über mich lachst, wirst du dafür bezahlen.«

»Ach ja? Und welchen Preis?«

Kellen hatte eine Vorder- und eine Hinterpfote gepackt und zog Biest Zentimeter für Zentimeter auf die andere Seite. »Das weiß ich noch nicht, aber ich werde mir etwas Schreckliches ausdenken. Wie zum Beispiel, dass du etwas essen musst, was ich gekocht habe, oder meine Schwestern kennenlernen musst.«

»Das wäre kein Problem für mich.«

»Ja, jetzt fühlst du dich noch sehr stark, aber du hast noch nie meine Spaghettisauce probiert.« Mit einem letzten Stöhnen hievte Kellen Biest an die Bettkante. Dann streifte er seine Schuhe ab und setzte sich auf das Bett. Er klopfte auf die Stelle neben sich. »Komm her, Prinzessin. Jetzt werde ich mit dir einen Ringkampf austragen.«

»Hast du vor, mich an den Füßen quer über das Bett zu ziehen?«

»Nein. Ich werde dir zuerst ein paar erotische Vorschläge ins Ohr flüstern und diese anschließend in die Tat umsetzen.«

Cate setzte sich neben ihn. »Du hast einen harten Tag hinter dir, Cowboy. Du hast mich gerettet, ein Verbrechen aufgeklärt und den Kampf mit der Bestie aufgenommen. Möglicherweise bist du für eine solche Demonstration zu erschöpft.«

Kellen grinste und drehte eine von Cates Locken um seinen Finger. »Ich glaube, ich werde es schaffen, meine letzten Kraftreserven zu mobilisieren.«

Cate zog ihre Schuhbänder auf. »Was wird mit Kitty geschehen? Wird die Polizei sie festnehmen? Falls das passieren sollte, wird ihr Mann sicher alles tun, um sie wieder freizubekommen.«

»Wenn Kitty schlau ist, befindet sie sich mit ihren Handlangern bereits am Flughafen Logan, und die drei laden alles, was sie sich erbetteln, stehlen oder borgen konnten, in eine Privatmaschine und fliegen zu einem unbekannten und exotischen Ziel.«

»Was diese erotischen Vorschläge betrifft...«, wechselte Cate das Thema.

»Was ist damit?«

Cate ließ ihre Hand unter Kellens Hemd gleiten und genoss das Gefühl seiner warmen Haut, während sie mit den Fingerspitzen leicht über seine Muskeln fuhr. »Ich bin bereit, sie mir anzuhören«, erklärte sie. »Alle. Und ich will Details hören.«

Cate öffnete die Augen und blinzelte in das Sonnenlicht, das durch die Vorhänge in Kellens Schlafzimmer drang. Kellen war schon fort, aber Biest lag am Fußende des Betts und hatte Cates Bein unter sich begraben. Sowohl ihr Fuß als auch der Hund waren eingeschlafen. Cate zog ihren Fuß unter Biest hervor und massierte ihn, bis das Blut wieder zu zirkulieren begann. Für einen solchen treuen Kameraden war das ein geringer Preis, wie sie fand.

Sie warf einen Blick auf ihre Armbanduhr und verzog das Gesicht. Beinahe schon zehn Uhr. Der halbe Tag war bereits vorüber! Wenn sie mit Kellen mithalten wollte, würde sie eine Vitaminkur machen müssen. Er schaffte sie – auf eine sehr schöne Art.

Nachdem sie lange und heiß geduscht hatte, fiel ihr ein, dass sie keine frische Kleidung bei sich hatte. Sie durchstöberte Kellens Kleiderschrank und fand schließlich ein T-Shirt. Ansonsten würden die Kleidungsstücke von gestern herhalten müssen, bis sie sich in ihrer Wohnung umziehen konnte. Sie zupfte ihr feuchtes Haar zurecht und trottete mit Biest auf der Suche nach einem Frühstück in die Küche.

Auf der Anrichte standen eine Packung mit Frühstücksflocken und ein Pappbecher mit Kaffee aus einem Coffeeshop. Cate stellte den Becher in die Mikrowelle, um den Kaffee aufzuwärmen, und las die Notiz, die an die Müslischachtel gelehnt war.

Habe Biest gefüttert und Gassi geführt und dir Früh-
stücksflocken besorgt. Milch ist im Kühlschrank. Marty
hat sich heute Morgen der Polizei gestellt. Ich treffe mich
jetzt mit dem Staatsanwalt. Werde bald zurück sein.

Cate schüttete Frühstücksflocken in eine Schüssel und goss Milch darüber. Sie holte ihren Kaffee und frühstückte stehend in der Küche. Auf der Anrichte verstreut lagen einige Papiere, Kellens Frühstücksgeschirr stand in der Spüle, auf dem Boden befand sich Biests Futternapf, und auf der Anrichte lagen Schlüssel und Kleingeld. Einer der Schlüssel war für Kellens Haustür – er hatte ihn für Cate zurückgelassen. Allmählich kam Leben in diese Küche.

»Ich liebe dieses gemütliche, kleine Sandsteinhaus«, verriet Cate Biest. »Und ich weiß, das klingt dumm, weil wir uns noch nicht lange kennen, aber ich liebe auch Kellen. Bei ihm fühle ich mich glücklich, sexy und sicher. Eigentlich dachte ich, ich hätte bei der ganzen Sache immer einen kühlen Kopf bewahrt und alles tapfer durchgestanden, aber in Wahrheit hatte ich eine Heidenangst. Ich habe nur durchgehalten, weil ich dich und Kellen liebe und weil mir klar war, dass ich kämpfen musste, um euch beide behalten zu können. Unglücklicherweise weiß ich nicht, was Kellen für mich empfindet. Ich weiß, dass er mich mag, und ich weiß auch, dass er ein guter

Mensch ist. Er hat sich wirklich sehr um mich bemüht, aber ich bin mir nicht sicher, wie tief seine Gefühle für mich sind. Unter uns gesagt, ist es jetzt auch nicht der richtige Zeitpunkt in meinem Leben, um mich zu verlieben. Ich träume davon, mein Studium abzuschließen und als Lehrerin zu arbeiten. Und außerdem gibt es jetzt dich. Ich bin eine frischgebackene Hundemami. Das habe ich auch noch nicht wirklich begriffen. Wie soll ich denn das alles gleichzeitig unter einen Hut bekommen? Kellen, dich, das Studium und meine Arbeit. Was hältst du davon?«, fragte Cate Biest.

Biest hörte auf, Wasser aus dem Napf zu schlabbern, und sah zu Cate hoch. Wasser rann an seinen Lefzen hinunter, und er rülpste.

»Du hast wahrscheinlich Recht«, meinte Cate. »Ein Spaziergang wird mir dabei helfen, einen klaren Kopf zu bekommen. Außerdem brauche ich saubere Klamotten.«

Cate befestigte die Hundeleine an Biests Halsband und führte den Hund zur Tür hinaus in die Mittagshitze. Sie ließen sich Zeit und schlenderten gemächlich zu Cates Wohnung. Hin und wieder blieben sie im Schatten stehen und beobachteten Pärchen, die auf ihrem Weg zum sonntäglichen Mittagessen waren, und Familien, die vom Kirchgang zurückkamen.

Als sie an dem Haus angekommen waren, in dem Cate wohnte, betrachtete sie es mit gemischten Gefühlen. Einerseits war es ihr Zuhause, aber andererseits hatte sie sich dort nie wirklich heimisch gefühlt. Nicht so wie im Haus ihrer Eltern. Nicht auf die Weise, in der Kellens Haus ein Heim für sie sein könnte.

»Wir sind schon ein seltsames Paar«, sagte Cate zu Biest. »Irgendwie befinden wir uns beide in der Schwebe, aber zumindest haben wir jetzt einander. Und vielleicht haben wir auch Kellen.«

Die Lobby war verlassen, und der Lift brachte sie leise nach oben. Cate klingelte an Martys Tür und hielt den Atem an. Keine Antwort. Sie drückte noch einmal auf die Klingel und tippte dann den Code ein. Schließlich betrat sie mit Biest die Wohnung und rief Martys Namen. Sie wusste nicht viel über die Vorgehensweise, wenn jemand der Polizei ein Verbrechen gestand. Wahrscheinlich kam derjenige in Untersuchungshaft, aber vielleicht nicht sofort.

»Ist jemand zu Hause?«, rief Cate.

Keine Antwort.

Cate widerstand der Versuchung, in Martys Schlafzimmer herumzuschnüffeln und in seinem Kleiderschrank nach verräterischen Zeichen zu suchen, die auf einen letzten verzweifelten Fluchtversuch – möglicherweise einen überstürzten Flug nach Buenos Aires – hindeuten könnten. Stattdessen führte sie Biest auf direktem Weg in ihr kleines Schlafzimmer, zog sich dort um und packte einige notwendige Sachen in eine Tasche. Nur für den Fall, dass Kellen sie dazu auffordern würde, länger bei ihm zu bleiben.

Cate schloss die Tür hinter sich ab und ging die Treppe hinunter zum dritten Stock. Sie klopfte an Julies Tür. Keine Antwort. Sie klopfte an Sharons Tür. Ebenfalls keine Antwort.

»Niemand zu Hause«, sagte sie zu Biest. »Wir müssen unseren Besuch auf ein anderes Mal vertagen.«

Kapitel 19

Kellen arbeitete an seinem Laptop, als Cate und Biest in die Küche kamen.

»Ich habe ein großes Büro«, erklärte er. »Aber ich arbeite lieber hier am Tisch. Es ist so gemütlich.«

Auf dem Tisch lagen zwei Sandwiches, und ein drittes befand sich in Biests Futternapf. Alle waren mit Pommes frites und einer Essiggurke angerichtet.

»Wie ich sehe, hast du Mittagessen gekocht«, sagte Cate mit einem Blick auf Biests Napf und lachelte.

Kellen erwiderte ihr Lächeln. »Ich fand, dass er eine Belohnung verdient, weil er sich als hervorragender Wachhund bewiesen hat.«

»Wie lief es heute?«

»Großartig. Marty hat alles gestanden und die Schmuckstücke abgeliefert, die er gebunkert hatte. Ich glaube, der Staatsanwalt hatte Mitleid mit ihm. Außerdem ist er ein Fan von Marty. Er erzählte, dass Marty einmal ›Happy Birthday‹ à la Marilyn Monroe für ihn gesungen habe. Und jetzt kommt das Beste. Es hat sich herausgestellt, dass eine von Kittys Wohltätigkeitsorganisationen der Wohltätigkeitsfonds der Polizei ist. Und es geht noch weiter: Kitty und Marty haben ein Programm zur Verbre-

chensbekämpfung gefördert. Marty lag mit seiner Vertei-
digungsstrategie, er habe sich lediglich wie Robin Hood
verhalten, gar nicht schlecht. Wahrscheinlich wird er nur
eine Strafe von sechs Monaten im Gefängnis verbüßen
müssen, zu einem Jahr auf Bewährung verurteilt werden
und hundert Stunden gemeinnützige Arbeit ableisten
müssen. Dabei wird es sich wohl vor allem um Senioren-
heime und den jährlichen Polizeiball handeln.«

»Das ist fantastisch.«

»Ich weiß. Das bedeutet, dass wir unsere Hochzeit für
den Herbst nächsten Jahres planen können.«

»Was?«

»Unsere Hochzeit. Erinnerst du dich nicht mehr an
die Nacht, in der wir uns verlobt haben und dann un-
glaublich heißen und leidenschaftlichen Sex hatten?«

Cate war sprachlos. Sicher nahm er sie auf den Arm.

»Ich gehe davon aus, dass du bis zum kommenden
Herbst dein Studium abgeschlossen haben wirst und
dann bereit für eine neue Herausforderung bist – nämlich für mich. Aber mit dem Kauf des Rings sollten wir
nicht so lange warten. Nach dem gestrigen Abend habe
ich ein wenig Angst davor, dass Pugg mir den Rang als
dein Held ablaufen könnte.«

Cate warf den Kopf in den Nacken und lachte laut.
»Pugg würde eine Menge für mich tun, aber sein Herz
gehört Julie.«

»Und wie steht es mit deinem Herzen? Ich liebe dich,
Cate. Ich liebe die Art, wie du in jedem Menschen etwas

Gutes entdeckst. Ich liebe es, dass ich mich überall zu Hause fühle, wo du bist. Ich liebe sogar deinen riesigen, trotteligen Hund.« Kellen hob einen großen Karton vom Boden auf und stellte ihn vor Cate auf die Anrichte. Er war in weißes Papier gewickelt und trug eine grüne Schleife und einen Aufkleber von Williams-Sonoma. »Und möglicherweise wünsche ich mir am meisten, dass ich endlich einen dieser fantastischen Kuchen probieren darf, von denen ich so viel gehört habe.«

Cate sah Kellen an, zog die Schleife auf und streifte das Papier von dem Karton. Darin befanden sich zwei Kuchenformen, ein Handrührgerät, ein Teigschaber und ein Paar rote Topfhandschuhe.

»Ich weiß nicht, was du sonst noch brauchst«, erklärte Kellen. »Aber ich finde, das ist ein guter Anfang.«

»Das ist ein wunderbarer Anfang«, erwiderte Cate. »Das ist wirklich süß von dir. Es ist das perfekte Geschenk. Symbolisch, gedankenvoll, und es ist sogar ein Schneebesen dabei. Ein solches Rührgerät wollte ich schon immer haben.«

Der Schneebesen war Kellen nicht aufgefallen, aber er freute sich, dass Cate davon begeistert war. Bisher hatte Kellen in dem Geschenk auch keine symbolische Bedeutung gesehen, aber jetzt, wo Cate ihn darauf hingewiesen hatte, war er sehr beeindruckt. Eigentlich hatte sich Kellen nur einen Kuchen gewünscht. Und er hoffte auf einen Schokoladenkuchen mit vielen bunten Streuseln auf der Glasur.

Eine Träne rollte über Cates Wange.

»Ist das eine Träne der Freude oder der Trauer?«, wollte Kellen wissen.

»Es ist eine Freudenträne. Wahrscheinlich eine hormonelle Geschichte.«

Kellen hatte mehrere Schwestern und kannte sich mit hormonellen Dingen aus, also nahm er Cate in seine Arme. »Willst du mich heiraten?«

»Ja. Wahrscheinlich. Ja.«

Kellen zog sie näher an sich heran. »Geht dir das zu schnell?«

»Ja, ein wenig, aber es ist in Ordnung. Wir haben eine lange Verlobungszeit. Das gibt dir genügend Zeit, falls du es dir anders überlegen möchtest.«

»Das werde ich bestimmt nicht tun.«

»Ich auch nicht«, erklärte Cate. »Da bin ich mir fast sicher.«

Epilog

Cate stampfte mit ihren Stiefeln auf den Boden, um den frisch gefallenen Dezemberschnee abzuschütteln, und ging quer durch die Lobby zu den Briefkästen. Allmählich verbreitete sich weihnachtliche Stimmung. An den Straßenlaternen hingen Girlanden, an den Haustüren Kränze, und überall funkelten Lichterketten.

Cate schloss den Briefkasten für 4A auf und nahm einen Stapel Kataloge, einige Rechnungen und private, an Marty adressierte, Post heraus. Die Kataloge würden ins Altpapier wandern. Die Rechnungen würde sie von dem Konto überweisen, das Marty für sie eingerichtet hatte, und die persönlichen Briefe würde sie auf den anwachsenden Stapel auf der Anrichte in der Küche legen. Marty wollte sich die Post nicht nachschicken lassen – so war es ihm lieber.

Im Februar würde er entlassen werden. Am Valentinstag war er bereits für seinen ersten Auftritt im Evian's gebucht.

Wesentlich besser als Kittys Zukunft, dachte Cate. Kitty Bergman steckte immer noch in einem unangenehmen Gerichtsverfahren und in einer noch unangenehmeren Scheidung.

Cate war heute Abend allein. Kein Biest. Kein Kellen. Sie waren in Kellens Stadthaus und genossen ihren monatlichen Jungsabend mit einem Snack vor dem Fernseher. Und Cate traf sich zum Abendessen wie jeden Monat einmal mit den Mädchen.

Die Gastgeberin war Sharon. Also würde es zur Begrüßung einen Cocktail geben und später eine Portion von Sharons sagenhafter Lasagne.

Cate fuhr mit dem Aufzug zum dritten Stock und klingelte bei Sharon. Die Tür ging auf, und Cate bekam sofort einen Cosmo gereicht. Sie nahm das Glas mit dem Cocktail entgegen und hob es zu einem Toast. »Lasst uns das monatliche Treffen der Mädels beginnen«, sagte sie zu Sharon und Julie.

»Auf die Mädels!«, riefen sie einstimmig und nippten alle damenhaft an ihren Drinks.

»Es ist ungewohnt, dass du nicht mehr hier wohnst«, sagte Julie zu Cate. »Aber zumindest treffen wir uns einmal im Monat hier.«

»Ich komme jeden Tag auf meinem Spaziergang mit Biest vorbei, um Martys Post zu holen«, erwiderte Cate.

»Ja, aber das ist nicht das Gleiche«, wandte Julie ein.

»Genau«, stimmte Sharon ihr zu. »Und letzte Woche war Julie nicht da, und ich saß hier ganz allein.«

»Du warst nicht allein«, widersprach Julie und trank einen großen Schluck von ihrem Cosmo. »Du warst mit dem Mann der Geheimnisse zusammen. Du bist immer mit ihm zusammen.«

»Das stimmt«, räumte Sharon ein. »Ich habe einen Freund. Eine ernsthafte Beziehung.«

»Du hast immer gewusst, dass er der Mann fürs Leben ist«, stellte Cate fest.

Sharon nickte. »Das hatte ich im Gefühl. Und seit ich ihn kenne, weiß ich, dass mich dieses Gefühl nicht getrogen hat.«

»Wie geht es dir mit Mr. Sexy?«, wollte Julie von Cate wissen.

Cate ließ sich in einen Clubsessel fallen. »Großartig. Zuerst kam mir alles so überstürzt vor, und ich wollte mit der Hochzeit noch eine Weile warten, aber jetzt denken wir daran, sie vorzuziehen. Wir wohnen inzwischen seit vier Monaten zusammen, und ich kann mir ein Leben ohne ihn nicht mehr vorstellen.«

»Ich weiß genau, was du meinst«, sagte Julie. »Ich habe mich auch schon so daran gewöhnt, Pugg in meiner Nähe zu haben. Es ist, als hätte man einen großen, alten Bären im Haus. Und das Beste ist, dass er Pfannkuchen backen kann. Letzte Woche fuhren wir zur Hochzeit meiner Cousine Shirley, und alle mochten Patrick. Shirley feierte ihre Hochzeit in Onkel Eds Garage, und der Abend stand unter dem Motto ›Luau‹. Ihr hättet sehen sollen, wie großartig Patrick Hula getanzt hat. Eigentlich war ich immer davon überzeugt gewesen, dass man dafür eine schlanke Taille haben müsste, aber das stimmt nicht. Patrick ist davon überzeugt, dass er den Tanz deshalb so gut beherrscht, weil er den Ritualtanz der Albatrosse studiert hat. Ich glaube aber, dass er einfach ein angeborenes Talent dafür hat. Er hat ein sehr gutes Rhythmusgefühl, wenn ihr versteht, was ich meine.«

»Darauf trinke ich.« Sharon nippte noch einmal an ihrem Cocktail und stellte eine Schale mit Nüssen auf den Couchtisch.

»Und nachdem ich euch all diese netten Sachen über Patrick erzählt habe, möchte ich euch noch zwei aufregende Dinge zeigen, Mädels«, erklärte Julie. Sie streckte die linke Hand aus. An ihrem Ringfinger befand sich ein Platinring mit winzigen Diamanten.

Cate und Sharon schnappten bei dem Anblick nach Luft.

»Das kann nicht wahr sein!«, rief Sharon.

»Doch.« Julie nickte. »Wir haben uns in Birmingham trauen lassen. Er hat mir mit seinem Hula-Tanz und dem Ritualtanz der Albatrosse derartig den Kopf verdreht, dass ich völlig von Sinnen war. Und das ist noch nicht alles. Ich muss euch noch etwas zeigen.« Julie zog ein Briefkuvert aus ihrer Tasche. »Seht euch das an! Das ist mein erster Scheck von meinem Verleger. Mein Buch wird erst in etwa einem Jahr erscheinen, aber ich habe nach der Vertragsunterzeichnung diesen Scheck erhalten. Es ist nicht gerade viel, aber es ist ein Anfang. Und ich kann jetzt ein Bett und ein Sofa kaufen. Das wird Patrick gefallen. Der arme Kerl hat sich bereits alle Haare an den Knien abgewetzt.«

Cate hob noch einmal ihr Glas. »Auf Julie!«

»Auf uns alle«, sagte Julie. »Wir sind wie die drei Prinzessinnen, die schließlich alle ihren Prinzen fanden und miteinander glücklich lebten bis ans Ende ihrer Tage.«